MOLIÈRE

Dom Juan

●

CHRONOLOGIE
PRÉSENTATION
NOTES
DOSSIER
BIBLIOGRAPHIE
LEXIQUE

de Boris Donné

GF Flammarion

© Flammarion, Paris, 1998 ;
édition mise à jour en 2013 ; rééd. 2023.
ISBN : 978-2-0804-1360-4

SOMMAIRE

———

Dom Juan

DOSSIER

REPÈRES HISTORIQUES ET CULTURELS	VIE ET ŒUVRES DE MOLIÈRE
Règne de Louis XIII, né en 1601, fils de Henri IV (assassiné en 1610) et de Marie de Médicis (régente jusqu'en 1617). Louis XIII a épousé Anne d'Autriche, infante d'Espagne, en 1615. La guerre de Trente Ans a débuté en 1618. Pierre Corneille (né en 1606) a seize ans ; Jean de La Fontaine est né l'année précédente. Un cycle de tableaux représentant la vie de Marie de Médicis vient d'être commandé à Rubens pour le Palais du Luxembourg.	(15 janvier) baptême, à Paris, de Jean Poquelin, fils de Jean Poquelin, tapissier (âgé de 25 ans environ) et de sa femme Marie Cressé (âgée de 21 ans). L'enfant sera en réalité prénommé Jean-Baptiste. Entre 1623 et 1628, du même mariage naîtront trois garçons et deux filles, dont Jean-Baptiste est le frère aîné.
Naissance de Blaise Pascal.	
Richelieu devient chef du Conseil du Roi.	
Naissance de la future Mme de Sévigné. Mort d'Honoré d'Urfé, auteur de *L'Astrée*.	

CHRONOLOGIE

1622

1623

1624

1626

1628	Siège de La Rochelle, forteresse protestante, qui finit par capituler.	
1630	« Journée des Dupes » : Richelieu assoit son autorité, Marie de Médicis est exilée.	
1631	Révolte de Gaston d'Orléans (frère de Louis XIII), défait en 1632 à Castelnaudary.	
1632		(11 mai) mort de Marie Cressé. Le père de Jean-Baptiste se remarie avec Catherine Fleurette (qui mourra en 1636) ; de cette union naîtront trois filles.
1634	Naissance de la future Mme de Lafayette.	
1635	Déclaration de guerre à l'Espagne. Fondation de l'Académie française. Naissance de Philippe Quinault. Mort du graveur lorrain Jacques Callot.	

CHRONOLOGIE	REPÈRES HISTORIQUES ET CULTURELS	VIE ET ŒUVRES DE MOLIÈRE
[1635-1639 ?]		Jean-Baptiste est élève des Jésuites au collège de Clermont (l'actuel lycée Louis-le-Grand), où il suit avec succès les classes d'humanités et de philosophie. Il se lie avec Chapelle et avec Bernier, lequel l'initiera peut-être, quelques années plus tard, à la philosophie épicurienne et l'introduira dans le cercle de Gassendi [1641 ?]
1636	Naissance de Nicolas Boileau. Corneille : *L'Illusion comique*.	
1637	Louis XIII consacre son royaume à la Vierge. Corneille : *Le Cid*. Descartes : *Discours de la méthode*.	Jean Poquelin père, qui a reçu en 1631 de son frère un office de « tapissier-valet de chambre ordinaire du roi », transmet la survivance de cette charge héréditaire à son fils aîné Jean-Baptiste.

1638	Naissance du dauphin, futur Louis XIV. Arrestation de Saint-Cyran, « directeur et confesseur » de Port-Royal.
1639	Naissance de Jean Racine.
1640	Naissance de Philippe, futur duc d'Orléans, frère du dauphin. Disette à Paris. Création de l'Imprimerie royale. Mort de Rubens. Corneille : *Horace*.

Jean-Baptiste entreprend des études de droit à Orléans ; il obtient sa licence, s'inscrit au barreau comme avocat, mais n'exerce que quelques mois : il décide de devenir comédien. Cette vocation peut s'expliquer par un intérêt pour le théâtre éveillé dès l'enfance par le grand-père maternel, Louis Cressé, qui menait son petit-fils voir les comédiens de l'Hôtel de Bourgogne et les bateleurs de rue ; par un goût pour la littérature et l'expression dramatiques développé durant ses études chez les jésuites ; par l'ascendant, enfin, qu'exerce sur lui une belle comédienne de vingt-deux ans, Madeleine Béjart, dont il s'est épris.

REPÈRES HISTORIQUES ET CULTURELS		VIE ET ŒUVRES DE MOLIÈRE
	1641	Descartes : *Méditations métaphysiques.*	
	1642	Conspiration de Cinq-Mars, favori de Louis XIII : le complot échoue, Cinq-Mars est décapité. Mort de Richelieu. Entrée de Mazarin au Conseil du Roi. Début de la révolution anglaise : Cromwell arrive au pouvoir. Corneille : *Cinna, Polyeucte.*		(6 janvier) Jean-Baptiste renonce à la survivance de la charge de tapissier de son père. (30 juin) signature d'un contrat avec la famille Béjart pour la création d'une troupe de comédiens, « L'Illustre Théâtre », qui s'installe dans un jeu de paume du faubourg Saint-Germain. C'est vraisemblablement en 1644 que Jean-Baptiste Poquelin adopte, pour des raisons inconnues, le pseudonyme de Molière.
	1643	Mort de Louis XIII ; régence d'Anne d'Autriche. Victoire contre les Espagnols à Rocroi, sous le commandement de Condé, âgé de vingt ans. Naissance de Marc-Antoine Charpentier.		

C H R O N O L O G I E

1644	Corneille : *Rodogune*.
1644-1645	Les difficultés financières de l'Illustre Théâtre conduisent Molière à la prison pour dettes. Son père rembourse une partie des créanciers, mais c'est la fin de la troupe. En 1645, Molière quitte Paris.
1645	Mise en chantier du Val-de-Grâce, sous la direction de l'architecte François Mansart.
1646-1653	Molière et les Béjart s'engagent dans la troupe de Dufresne, protégée par le duc d'Épernon ; tournées dans le sud-ouest, puis dans le sud-est de la France. Molière prend la direction de la troupe.
1647	Vaugelas : *Remarques sur la langue française*. *L'Orfeo* de Rossi, premier opéra (italien) représenté à Paris.

CHRONOLOGIE	REPÈRES HISTORIQUES ET CULTURELS	VIE ET ŒUVRES DE MOLIÈRE
1648	Début de la Fronde parlementaire. Traité de Westphalie, qui met fin à la guerre de Trente Ans. Fondation de l'Académie royale de peinture et de sculpture, autour de Charles Le Brun. Mort de l'érudit Marin Mersenne. Mort du poète mondain Vincent Voiture. Mort des peintres Antoine et Louis Le Nain.	
1649	Fuite du jeune Roi, siège de Paris, retour du Roi ; fin de la Fronde parlementaire. En Angleterre, exécution du roi Charles Ier. Mort du peintre Simon Vouet. Descartes : *Traité des Passions*. Mlle de Scudéry : *Le Grand Cyrus* (roman dont la publication se poursuit jusqu'en 1653).	
1650	Début de la Fronde des Princes ; arrestation de Condé et de Conti. Mort de Descartes.	

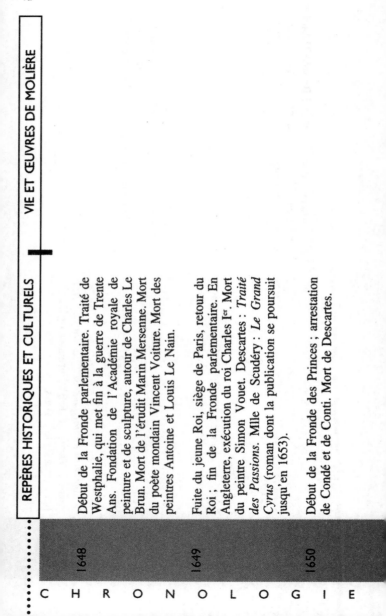

1651 Libération des Princes ; exil, puis retour en France de Mazarin.

1652 La Cour quitte Paris ; nouvel exil de Mazarin ; retour du Roi à Paris ; arrestation des Frondeurs. Mort du peintre Georges de La Tour.

1653 Retour définitif de Mazarin ; fin de la Fronde. Nicolas Foucquet devient surintendant des Finances.
Mort de l'érudit Gabriel Naudé. L''Italien Giambattista Lulli devient compositeur de la musique instrumentale du Roi. Mlle de Scudéry : *Clélie* (roman dont la publication se poursuit jusqu'en 1661).

Le duc d'Épernon cesse de patronner la troupe ; les comédiens obtiennent de jouer devant le prince de Conti, frère du Grand Condé, passionné de théâtre et libertin notoire, qui leur accorde sa protection. Tournée en Languedoc.

1654 Sacre de Louis XIV à Reims. Mort de l'écrivain Guez de Balzac.

CHRONOLOGIE	REPÈRES HISTORIQUES ET CULTURELS	VIE ET ŒUVRES DE MOLIÈRE
1655	Louis XIV danse dans le *Ballet des Plaisirs*. Mort du poète Tristan L'Hermite, du philosophe épicurien Pierre Gassendi, du peintre Eustache Le Sueur, de Cyrano de Bergerac.	*L'Étourdi*, première comédie de Molière, est créé à Lyon.
1656		*Le Dépit amoureux* est créé à Béziers.
1656-1657	Pascal : *Lettres provinciales*.	
1657		Conversion du Prince de Conti, qui désormais condamne violemment le théâtre, et retire sa protection à la troupe de Molière.
1658	Pourparlers pour un mariage du Roi avec une princesse espagnole. Année de disette. Factum des curés de Paris contre la casuistique jésuite.	Molière et ses comédiens reviennent à Paris, ils obtiennent la protection de Monsieur (Philippe d'Orléans, frère de Louis XIV). Premières représentations à la cour : Molière donne une

tragédie de Corneille, et un petit « divertissement » (une brève comédie dans le goût de la farce ou de la *commedia dell'arte*). Il plaît au roi ; la troupe obtient de partager avec les Comédiens-Italiens la salle du Petit-Bourbon.

Le Brun entreprend la décoration de Vaux-le-Vicomte, le château que se fait construire le surintendant Foucquet.

Premier grand succès parisien : *Les Précieuses ridicules*.

| 1659 | Paix des Pyrénées, qui marque la victoire de la France sur l'Espagne. Corneille : *Œdipe*. |

Nouveau succès, *Sganarelle ou le cocu imaginaire*. La troupe déménage pour la salle du Palais-Royal.

| 1660 | Mariage de Louis XIV et de Marie-Thérèse. Retour en grâce de Condé. Mort de Gaston d'Orléans. Restauration des Stuarts en Angleterre : règne de Charles II. Dissolution officielle de la compagnie du Saint-Sacrement, noyau du « parti dévot ». Mort de Scarron. Mort du peintre espagnol Vélasquez. |

	REPÈRES HISTORIQUES ET CULTURELS	VIE ET ŒUVRES DE MOLIÈRE
1661	Mort de Mazarin, début du règne personnel de Louis XIV, qui décide de l'arrestation de Foucquet sous l'influence de Colbert. Naissance du Dauphin. Lully (qui francise désormais son nom) est nommé surintendant de la musique du Roi. Mort à trente-cinq ans du compositeur Louis Couperin.	Échec de Molière qui s'essaie au genre de la tragi-comédie romanesque avec *Dom Garcie de Navarre*. Nouvelle comédie, *L'École des maris* ; un divertissement pour le surintendant Foucquet, *Les Fâcheux*.
1662	Fondation de la manufacture des Gobelins. *L'Ercole amante*, opéra de Cavalli, inaugure la salle des Tuileries. Mort de Pascal. Arnauld et Nicole : *La Logique ou l'art de penser*.	(20 février) mariage de Molière avec Armande Béjart, la jeune sœur (ou la fille, murmuraiton...) de Madeleine Béjart. Les adversaires de Molière ne cesseront de colporter des rumeurs d'inceste sur cette union. (décembre) création de *L'École des femmes*. La pièce remporte un succès éclatant, et suscite une querelle à laquelle Molière répond, en 1663, avec *La Critique de l'École des Femmes*

CHRONOLOGIE

et *L'Impromptu de Versailles*, d'abord représenté devant le roi.

1663

Invasion de l'Autriche par les Turcs. Établissement du système de pensions aux gens de lettres. Pierre Mignard : peinture de la coupole du Val-de-Grâce.

1664

Condamnation de Foucquet. Persécutions contre Port-Royal. Victoire du Saint-Gothard sur les Turcs.
Le Brun devient premier peintre du Roi.

(janvier) création pour la Cour d'une comédie-ballet, *Le Mariage forcé*. C'est le début d'une fructueuse collaboration avec le compositeur d'origine italienne Jean-Baptiste Lully.
(28 février) baptême du premier fils de Molière et d'Armande Béjart, Louis, qui mourra dans l'année.
(mai) participation à la grande fête de Versailles *Les Plaisirs de l'île enchantée*, où Molière crée une comédie mêlée de musique, *La Princesse d'Élide*, et la première version de *Tartuffe*. La pièce est rapidement interdite sous la pression du puissant parti dévot.
(juin) la troupe de Molière représente la pre-

REPÈRES HISTORIQUES ET CULTURELS	VIE ET ŒUVRES DE MOLIÈRE
	mière tragédie de Racine, *La Thébaïde*. Les deux dramaturges se brouillent l'année suivante, à la création d'*Alexandre*, que Racine donne *in extremis* à la troupe rivale de l'Hôtel de Bourgogne.
1665 Colbert devient contrôleur général des Finances. Mort de Philippe IV d'Espagne. La Rochefoucauld : *Maximes*. La Fontaine : premier recueil de *Contes*. Mort de Poussin.	(15 février) première représentation de *Dom Juan*, au Palais-Royal. Quelques passages font scandale, et doivent être coupés pour les représentations suivantes. La pièce n'est pas officiellement interdite, mais elle est retirée au bout de quinze représentations, malgré le succès (intervention du roi ?). Molière ne la reprendra pas par la suite. (4 août) naissance d'un second enfant, Madeleine-Esprit. Elle mourra en 1723, sans descendance. (14 août) le roi pensionne Molière, et sa troupe devient « la troupe du Roi ».

CHRONOLOGIE

	Contexte historique	Molière
		(septembre) création à Versailles de *L'Amour médecin*, comédie-ballet. (décembre) Molière tombe gravement malade (fluxion de poitrine ?) et doit interrompre ses activités pour au moins trois mois.
1666	Mort de la reine mère, Anne d'Autriche. Grand incendie de Londres. Création de l'Académie des sciences. Boileau : *Satires* I à VII.	(juin) création du *Misanthrope*. Accueil mitigé pour cette comédie alors jugée trop sérieuse. (décembre 1666-février 1667) participations aux divertissements royaux de Saint-Germain-en-Laye. Molière écrit à cette occasion quelques entrées de ballet et scènes de comédie mêlées de musique.
1667	Guerre de Dévolution, contre l'Espagne. Racine : *Andromaque*.	(août) première représentation, au Palais-Royal, de la version remaniée de *Tartuffe* intitulée *L'Imposteur*. La pièce est de nouveau interdite.
1668	Conquête de la Franche-Comté. Paix d'Aix-la-Chapelle, qui met fin à la Guerre de Dévolution et annexe la Flandre à la France.	(janvier) création d'*Amphitryon*. (juillet) création à Versailles de *George Dandin*.

CHRONOLOGIE	REPÈRES HISTORIQUES ET CULTURELS	VIE ET ŒUVRES DE MOLIÈRE
1669	Racine : *Les Plaideurs*. La Fontaine : *Fables*, livres I à VI.	(septembre) création de *L'Avare*.
	L'astronome Jean-Dominique Cassini prend la direction de l'Observatoire de Paris. Racine : *Britannicus*. Guilleragues : *Lettres portugaises*.	(février) le roi lève l'interdiction qui pèse sur *Tartuffe* ; Molière reprend la pièce, qui remporte un vif succès. (27 février) mort du père de Molière. (septembre-octobre) la troupe accompagne le roi à Chambord, représente de nombreuses pièces de son répertoire et crée *Monsieur de Pourceaugnac*.
1670	Occupation de la Lorraine. Révolte du Vivarais. Mort d'Henriette d'Angleterre, belle-sœur de Louis XIV : Bossuet prononce son oraison funèbre. Traité de Douvres : alliance de la France et l'Angleterre contre les Provinces-Unies.	(février) création à Saint-Germain-en-Laye des *Amants magnifiques*, comédie-ballet. (octobre) création à Chambord du *Bourgeois gentilhomme*, comédie-ballet.

Mort de l'architecte Louis Le Vau. Pascal : *Pensées* (première édition, posthume). Racine : *Bérénice*. Corneille : *Tite et Bérénice*.

(janvier) création dans la salle des Tuileries d'une « tragédie-ballet » (une tragi-comédie mythologique et galante mêlée de musique), *Psyché*. Pris par le temps, Molière a fait appel à Corneille (alors âgé de soixante-quatre ans) et Quinault pour terminer la pièce. Le spectacle, somptueux, remporte un grand succès.

(mai) création, au Palais-Royal, des *Fourberies de Scapin*.

(décembre) participation aux divertissements pour le mariage de Monsieur avec la création de *La Comtesse d'Escarbagnas*.

1671

Mise en chantier des Invalides, sous la direction de l'architecte Libéral Bruand.

1672

Guerre de Hollande. Passage du Rhin. Fondation du *Mercure galant*. Lully rachète le privilège de l'opéra en France, et devient directeur de l'Académie royale de Musique. Racine : *Bajazet*.

(2 février) mort de Madeleine Béjart, à l'âge de cinquante-quatre ans.

(mars) création des *Femmes savantes*.

(fin mars) rupture avec Lully.

REPÈRES HISTORIQUES ET CULTURELS		VIE ET ŒUVRES DE MOLIÈRE
1673	Coalition de l'Empire germanique, de l'Espagne et de la Lorraine contre Louis XIV. Prise de Maastricht par Louis XIV et Vauban. Premier opéra de Quinault et Lully, *Cadmus et Hermione*.	(février) création du *Malade imaginaire*, comédie-ballet, musique de Marc-Antoine Charpentier. La pièce remporte un beau succès : pour ses qualités propres, ou par la curiosité du public qui vient voir Molière, réellement malade, tenir sur scène le rôle d'un bien-portant affligé d'un mal chimérique ? à la quatrième représentation, le 17 février, Molière, pris d'un malaise sur scène, parvient péniblement au bout de la pièce ; transporté chez lui, il meurt dans la soirée, sans avoir reçu les sacrements. Armande doit intervenir auprès du Roi pour obtenir qu'il soit inhumé chrétiennement, de façon discrète.
1674	Boileau : *Art poétique*. Racine : *Iphigénie*. Dernière pièce de Corneille, *Suréna*.	

C H R O N O L O G I E

1677 Remariage d'Armande, qui mourra en 1700.

1682 Publication des *Œuvres de Monsieur de Molière*, qui rassemblent les pièces imprimées séparément et donnent au public le texte de certaines qui n'avaient jamais été publiées – *Dom Juan*, notamment.

LE FESTIN DE PIERRE.

Frontispice de *Dom Juan*
dans les *Œuvres de monsieur de Molière* publiées en 1682.

Certains auteurs donnent le meilleur d'eux-mêmes quand ils prennent le temps de mûrir parfaitement, à l'abri de toute sollicitation extérieure, l'œuvre qu'ils portent en eux. D'autres, ce sont les circonstances qui aiguillonnent leur génie : ils ne sont jamais aussi grands que lorsque leur plume doit répondre à quelque situation d'urgence. Molière ne dédaignait pas méditer longuement un sujet qui lui tenait à cœur (celui par exemple du *Misanthrope*), mais il était aussi de ceux que les circonstances stimulent à un degré extraordinaire : la composition de *Dom Juan*, comédie créée au théâtre du Palais-Royal le 15 février 1665, en fournit une illustration éclatante. La pièce ne fut certes pas écrite à la hâte, en quinze jours, comme on l'a longtemps prétendu ; mais sa conception et son élaboration, relativement rapides, portent la marque d'une urgence – celle d'un défi qui mettait en cause, de façon pressante, les convictions de Molière et ses ambitions artistiques. Il faut revenir un instant sur la carrière du dramaturge pour prendre la mesure de ces enjeux et préciser dans quelles conditions *Dom Juan* fut composé.

AMBITIONS NOUVELLES POUR LA COMÉDIE

En février 1665, Molière a quarante-trois ans. Après des débuts difficiles, et de longues années en province, la troupe dont il est à la fois le directeur, le dramaturge attitré et l'un des principaux acteurs connaît un succès éclatant auprès du public parisien. Établie dans la capitale depuis six ans seulement, cette troupe n'est pas parvenue à s'imposer dans le répertoire tragique, mais s'est taillée la place enviée de troupe comique à la mode : avec une farce, *Le Docteur amoureux* (octobre 1658), elle a su attirer l'attention de Louis XIV, qui lui a accordé la salle du Petit-Bourbon (puis, fin 1660, celle du Palais-Royal) ; elle a remporté ensuite deux grands succès avec *Les Précieuses ridicules* (novembre 1659) et *L'École des femmes* (décembre 1662). Cette dernière pièce renouvelait profondément le genre de la comédie, en témoignant d'une ambition esthétique inédite : loin de vouer le théâtre comique au divertissement sans conséquence, à la grossièreté, à la bouffonnerie gratuite, à la caricature, ou aux intrigues sentimentales convenues, Molière entendait lui donner les moyens de peindre l'homme dans sa vérité, et d'aborder sous l'angle du rire les sujets les plus sérieux. Une querelle s'ensuivit, à la fois esthétique et morale, tournée contre celui qui osait transgresser ainsi la hiérarchie des genres et faire rire d'une question aussi grave que l'éducation des filles. La querelle se régla à l'avantage de Molière : portant la discussion sur la scène dans deux brèves pièces polémiques, il se gagna la connivence du public des salons en se fiant au jugement des « honnêtes gens » (*La Critique de l'École des femmes*, juin 1663), et s'assura la protection du Roi qui l'invita à répliquer une dernière fois à ses contradicteurs devant la Cour (*L'Impromptu de Versailles*, octobre 1663).

DE LA QUERELLE DU *TARTUFFE* À *DOM JUAN*

Six mois plus tard pourtant, en mai 1664, Molière traversait de nouveau une rude passe : la querelle du *Tartuffe*. Il était allé plus loin encore dans l'exploration, par la comédie, de sujets de réflexion sérieuse : sa nouvelle pièce peignait un faux dévot, Tartuffe, qui sous le couvert de la piété la plus austère se rend maître de la maison du trop crédule Orgon afin de satisfaire ses appétits de pouvoir – voire quelques instincts moins avouables. La première version du *Tartuffe*, aujourd'hui perdue, fut créée devant le Roi et la Cour lors de somptueuses festivités données dans le parc de Versailles nouvellement aménagé (12 mai 1664) : elle fut aussitôt jugée « absolument injurieuse et capable de produire de très dangereux effets », et Louis XIV, qui accordait pourtant à Molière sa protection, se trouva forcé d'interdire la pièce après la première représentation. Cette interdiction faisait suite à une requête de l'archevêque de Paris, mais elle était sans doute aussi l'œuvre des dévots, et notamment de la puissante Compagnie du Saint-Sacrement de l'Autel, très écoutée dans l'entourage de la reine mère. La Compagnie était la plus influente de ces confréries secrètes prônant en tous domaines un strict respect de l'orthodoxie morale et religieuse ; ses membres, issus de la noblesse ou de la haute bourgeoisie, entendaient bien user de leur influence pour régler jusqu'à la conduite du Roi, et orienter ainsi celle de l'État. Ils s'étaient évidemment sentis attaqués lorsque Molière avait pris pour cible les faux dévots, les hypocrites, en les accusant de dissimuler la recherche d'intérêts personnels derrière les apparences du rigorisme religieux.

De l'interdiction du *Tartuffe*, Molière ressort avec une vision peut-être plus aiguë de l'ambition éthique de son œuvre de dramaturge. Il l'exprime en août 1664 dans le *Premier placet au Roi* :

Sire, le devoir de la comédie étant de corriger les hommes en les divertissant, j'ai cru que dans l'emploi où je me trouve, je n'avais rien de mieux à faire que d'attaquer par des peintures ridicules les vices de mon siècle ; et comme l'hypocrisie sans doute en est un des plus en usage, des plus incommodes, et des plus dangereux, j'avais eu, Sire, la pensée que je ne rendrais pas un petit service à tous les honnêtes gens de votre royaume si je faisais une comédie qui décriât les hypocrites, et mît en vue comme il faut toutes les grimaces étudiées de ces gens de bien à outrance, toutes les friponneries couvertes de ces faux-monnayeurs en dévotion, qui veulent attraper les hommes avec un zèle contrefait, et une charité sophistique.

« Corriger les hommes en les divertissant », « attaquer par des peintures ridicules les vices [du] siècle », et d'abord l'hypocrisie des « faux-monnayeurs en dévotion » : tel est le but que Molière assigne à son théâtre à la veille de l'élaboration de *Dom Juan*. Entre mai et novembre 1664, il consacre son énergie à parfaire une version remaniée du *Tartuffe* ; mais la pièce demeure interdite (elle ne fut reprise qu'en 1667, subrepticement ; l'interdiction fut levée en janvier 1669). Cette interdiction prive le moraliste-homme de théâtre de son arme la plus efficace contre ses adversaires du parti dévot, en même temps que d'un spectacle sur lequel il comptait sans doute pour assurer des recettes à sa troupe : il devait riposter sur ces deux fronts simultanément. Cette riposte, c'est *Dom Juan*.

Hypothèses sur le choix d'un sujet

Molière se trouvait confronté à un double impératif, un double défi. Impératif matériel, d'abord : privée du *Tartuffe*, sa troupe pouvait quelque temps vivre de reprises, mais celles-ci n'attirent pas tant de monde que la création d'une œuvre nouvelle ; il faut donc composer rapidement une autre pièce, susceptible de séduire un public nombreux. Pour s'assurer la faveur des spectateurs, on peut mettre certains atouts de son côté : s'essayer par exemple à un genre à la mode, le *théâtre à machines* [1], et monter une pièce à grand spectacle, avec décors multiples et effets spéciaux. L'histoire de Don Juan, qui repose sur les prestiges surnaturels du « merveilleux chrétien », se prêtait bien à ce genre de traitement : une statue animée, un

---

1. Sur les rapports entre *Dom Juan* et le théâtre à machines, voir les articles de Christian Delmas cités dans le Dossier, p 160.

libertin foudroyé avant de s'abîmer dans les feux de l'Enfer, autant d'effets spectaculaires appelés par une intrigue qui épouse en outre les mouvements du personnage principal, suit ses déplacements et ses rencontres d'un décor en un autre. Les riches potentialités scénographiques du sujet ont pu jouer dans le choix de Molière.

Il était par ailleurs habile, pour bâtir une pièce neuve, de reprendre un sujet déjà connu et apprécié : c'était s'assurer par avance un certain succès, sans ruiner l'attrait de la nouveauté puisque le public était curieux de découvrir le parti qu'un dramaturge à la mode comme Molière pouvait tirer d'une intrigue éprouvée. L'histoire du grand seigneur méchant homme, du séducteur impie dont le Ciel finit par se venger de façon spectaculaire était alors assez récente – son « invention » remontait seulement à une *comedia* de Tirso de Molina, publiée en 1630 – mais elle était appréciée du public parisien depuis les années 1650, à travers les spectacles de *commedia dell'arte* ou les tragi-comédies françaises qui s'en étaient inspirées.

Le choix d'un tel sujet, déjà connu, établi, accepté malgré ses audaces, relevait peut-être aussi d'un calcul tactique : à la différence du *Tartuffe*, on pouvait difficilement s'en servir comme prétexte pour faire interdire la pièce. Or – second impératif – Molière, provisoirement réduit au silence, avait certainement le dessein de faire de sa nouvelle comédie une réponse oblique à ses adversaires du parti dévot. Impossible de réitérer les mises en accusation qui avaient entraîné l'interdiction du *Tartuffe*. Pas question non plus de répliquer de façon aussi directe que dans la querelle de *L'École des femmes*, en portant la polémique elle-même sur le théâtre : les enjeux politiques et religieux ne sont pas des enjeux esthétiques, dont on peut discuter en transportant sur scène une conversation de salon, et en représentant ses adversaires ! Il fallait trouver un plus subtil artifice, fondre cette fois la riposte à l'intérieur d'une véritable œuvre de fiction pour dénoncer sur scène, de façon moins frontale qu'avec le *Tartuffe*, l'hypocrisie des faux dévots. Molière choisit pour l'occasion un sujet presque édifiant. On l'avait accusé d'avoir représenté la dévotion pour la calomnier ; le personnage principal de sa nouvelle pièce incarne au contraire l'impiété, la défiance envers la religion et la morale, et l'intrigue représente la damnation qu'attire cette conduite scandaleuse : fable parfaitement *morale*, puisqu'elle figure le châtiment divin d'un athée. Pourtant, sous ce couvert de moralité, Molière transforme son sujet pour le rendre ambigu, et même provocant : sans modifier la trajectoire de l'intrigue, qui condamne sans ambiguïté la conduite du libertin, il pare son personnage d'une séduction oratoire qui donne quelque poids à ses discours scandaleux ; cependant qu'en face de ce sophiste redoutable, il assigne le rôle de défenseur de la religion à un valet ridicule, naïf et superstitieux. Enfin, Molière ajoute une péripétie originale à l'histoire classique de Don Juan : on ne s'étonnera pas que cette péripétie soit une attaque violente contre le parti dévot.

LA PORTÉE D'UNE PÉRIPÉTIE NOUVELLE

Il faut imaginer quel dut être l'étonnement amusé des spectateurs de 1665 en découvrant le cinquième acte de la pièce de Molière. Les quatre premiers actes ont représenté un Don Juan conforme à la tradition : il a abandonné son épouse, bafoué l'autorité de son père, fait la preuve de son caractère de séducteur invétéré et d'impie ; il a négligé les remontrances et les avertissements qui lui ont été prodigués, il est même resté impassible devant l'apparition du Convive de pierre. Mais que s'est-il passé entre la fin de l'acte IV et le début de l'acte V, dans les ellipses de la représentation ? Voici qu'apparaît un Dom Juan revenu de ses erreurs, se repentant de ses crimes et de son aveuglement passés, confit dans la plus stricte dévotion, tirant des larmes de joie à son vieux père et donnant bien du soulagement à Sganarelle. Molière introduit ici une *péripétie* dans l'intrigue originale, au sens précis de ce terme : « changement inopiné de l'action [d'une pièce de théâtre], événement tout contraire à celui que l'on attendait » selon le *Dictionnaire* de Richelet. Plus technique, celui de Furetière précise : « c'est la dernière partie des pièces dramatiques, où se fait le changement de l'action, et où toute la pièce aboutit. On l'appelle dans les pièces comiques le *dénouement* ». Un instant de doute était permis [1] : Molière avait-il imaginé de donner à l'histoire du libertin un dénouement original, contraire à la tradition, sauvant *in extremis* le personnage des foudres du Ciel ? Les avertissements de Sganarelle, les remontrances de Dom Louis, les supplications d'Elvire et l'émouvant modèle qu'offre sa conversion sincère, l'apparition surnaturelle de la statue animée auraient-ils ouverts les yeux de l'incrédule, le jetant finalement dans les bras de la religion ? Ce doute est dissipé dès la deuxième scène de l'acte V : dans une longue tirade, extraordinairement travaillée, véritable point culminant de la pièce, Dom Juan révèle que cette attitude, qui a abusé tout un chacun jusqu'à Sganarelle, n'était que « grimace » – contrefaçon habile de la dévotion adoptée par pur opportunisme, afin d'échapper au blâme tout en gagnant un pouvoir occulte, celui qu'assure la solidarité du « parti », de « la cabale », entendons le parti dévot. Quelle conduite utile que l'hypocrisie, « vice à la mode » qui se donne des allures de vertu ! *In cauda vene-*

---

1. À vrai dire les justifications par lesquelles Dom Juan explique à Elvire qu'il l'a abandonnée par scrupule, « par un pur motif de conscience », dans « la sainte pensée » de ne pas perpétuer un adultère dont le Ciel devrait s'offenser (I, III), préparent dès le premier acte ce retournement hypocrite – conformément à l'exigence classique de vraisemblance.

num : après une *fausse* péripétie, l'intrigue reprend
son cours, et la marche de Dom Juan vers la damnation est même accélérée par cette dernière
impiété, ce « comble des abominations ». Molière
décoche la flèche du Parthe contre ses adversaires :
peignant tout au long de sa pièce un impie, un être
diabolique se jouant de la religion, il montre *in
extremis* que de tels personnages, loin d'être toujours reconnaissables par des discours provocants,
se cachent parfois derrière « le manteau de la religion ». Il est tentant de voir, dans cette attaque qui
n'occupe que deux scènes, mais dont la portée
est décuplée par la position stratégique à l'orée du
dénouement, sinon la raison d'être de la pièce, du
moins l'une des raisons qui ont déterminé l'élec-
tion du sujet de *Dom Juan* ; c'est en tout cas cette
péripétie lourde de sens qui inscrit l'œuvre au
cœur d'un triptyque de comédies traitant de l'hypocrisie et de la sincérité ; les deux autres volets
en sont bien sûr *Le Tartuffe* et *Le Misanthrope*
(juin 1666).

MÉTAMORPHOSES D'UN SUJET

Ces quelques hypothèses ne peuvent prétendre
trancher la question : on ne saura jamais quelles
raisons exactes déterminèrent Molière à se
confronter au mythe de Don Juan. On a seulement
essayé d'éclairer quel réseau de circonstances a pu
jouer, quelles potentialités ont pu séduire le dramaturge dans le sujet inventé par Tirso, et quel
parti il en a tiré dans la perspective des querelles
qui l'occupaient en 1664-1665. L'œuvre, cependant, par sa richesse, sa complexité et son efficacité dramatique, dépasse de très loin ces détermi-
nations opportunistes ou polémiques : voyons
maintenant comment Molière s'est approprié ce
sujet, a su le tourner à sa façon pour écrire l'étonnante pièce que l'on connaît.

Le sujet de *Dom Juan* compte parmi les
quelques grands mythes littéraires dont l'invention

est moderne ; c'est un cas sans équivalent hormis Faust (avec lequel les Romantiques le « croiseront » d'ailleurs volontiers). Bien que le canevas du « mythe » de Don Juan tire probablement son origine d'un fonds ancien de légendes populaires, il ne se cristallise qu'avec la pièce de Tirso de Molina, *L'Abuseur de Séville*, publiée anonymement à Barcelone en 1630. Il n'est pas sûr que Molière l'ait connue de première main, mais de multiples intermédiaires lui en ont transmis les grandes lignes. En France, les adaptations avaient fleuri à la fin des années 1650. *Le Festin de Pierre ou le fils criminel* de Dorimond (1659), tragicomédie en cinq actes et en vers, ainsi qu'une autre pièce donnée la même année sous le même titre, « traduite de l'italien en français » par un certain Villiers, faisaient donc suite aux adaptations réalisées par les comédiens italiens : ceux-ci avaient tiré de l'histoire imaginée par Tirso divers scenarii de *commedia dell'arte*, sur lesquels les acteurs brodaient *lazzi* (jeux de scène comiques) et bons mots ; le rôle du valet bouffon y gagnait une importance essentielle. On connaît l'existence d'une comédie de Giliberto désormais perdue, qui a inspiré à la fois Villiers et Dorimond, et le canevas d'une pièce de Biancolelli, jouée à Paris en 1658 avec un grand succès.

Quelles qu'aient été les sources précises de Molière, l'essentiel est d'observer avec quelle liberté et quelle maîtrise il s'est approprié le sujet. Un problème délicat consistait à plier la légende de Don Juan aux contraintes de la dramaturgie classique : unités de temps, de lieu, d'action. La *comedia* de Tirso, divisée en trois journées, multipliait les épisodes, les déplacements et les lieux, les personnages (notamment féminins), les scènes de séduction et les ruses amoureuses ; elle représentait le meurtre du Commandeur par Don Juan pour se refermer une fois Don Juan entraîné en Enfer par la statue du Commandeur, donnant ainsi à voir dans son intégralité l'histoire d'une vengeance. Impossible de faire entrer tous ces éléments dans le cadre strict d'une comédie classique française en cinq actes ! La simplification des données originales, celle notamment du système des personnages, avait été amorcée par Dorimond et Villiers. Molière la pousse beaucoup plus loin, et donne à l'action de sa pièce une efficacité supérieure : il resserre cette action sur un moment crucial – la dernière journée de Dom Juan, l'inexorable acheminement du libertin vers son châtiment – rejetant dans un passé qui n'est pas figuré sur scène l'assassinat du Commandeur et l'abandon d'Elvire. Molière resserre aussi le nombre des personnages essentiels de son intrigue, et ce faisant restreint de beaucoup la place des aventures galantes de Dom Juan. La principale figure féminine est Elvire, qui campe une femme déjà séduite, puis abandonnée ; ses apparitions – certes sublimes – se réduisent à deux scènes (I, III et IV, VI). En dehors d'elle, les paysannes Charlotte et Mathurine sont les seuls personnages féminins à croiser le chemin de Dom Juan, qui d'ailleurs ne parvient guère à ses fins avec ces deux-là (II, II et II, IV). Dom Louis, le père de Dom Juan, Dom Carlos et Dom Alonse, les frères d'Elvire, font également deux apparitions chacun (IV, IV et V, II ; III, III-IV et V, III) ; le Commandeur, occis avant le commencement de la pièce, ne paraît que sous sa forme pétrifiée et fantômale – trois apparitions brèves, laconiques, mais essentielles et inoubliables (III, V ; IV, VIII ; V, VI). Il faut ajouter deux figures de rencontre, qui n'apparaissent que le temps d'une scène : le Pauvre (III, II) et Monsieur Dimanche (IV, III). Tous ces personnages incidents, peu nombreux, se succèdent sans se croiser comme dans une revue dont le fil directeur serait le dialogue entre Dom Juan et Sganarelle (qui, eux, occupent la scène presque sans interruption). Il ne s'établit entre eux aucune relation susceptible de tisser une intrigue plus serrée, comparable à ce qu'avait imaginé Tirso. Mais chacun dessine, le temps d'une brève entrée, un caractère mémorable : l'épouse trahie et la religieuse éperdue, mue par le ressentiment puis par la charité ; les paysans pittoresques et attachants dans leur naïveté ; le mendiant inflexible malgré son dénuement ; le créancier intimidé, bourgeois flatté par un grand seigneur ; le vieux père attaché aux valeurs de ses aïeux, à la fois sévère et généreux, emporté puis attendri ; les gentilshommes soucieux de l'honneur avant tout ; et l'inquiétant émissaire de pierre, dont on ne sait trop si c'est le Ciel ou l'Enfer qui l'envoie. Ensemble, ils composent au fil de la pièce une galerie de portraits variés, qui permet à Molière de jouer sur une riche palette de sentiments et d'émotions.

Une intrigue épurée et rythmée

Pour aboutir à cette extraordinaire revue, Molière a épuré l'action à l'extrême, abandonnant nombre d'éléments présents chez Tirso et ses imitateurs. Sa principale originalité consiste à plaquer sur la succession romanesque d'épisodes des versions antérieures de *Don Juan* une nouvelle organisation de l'intrigue, plus simple, mais plus efficace et plus rythmée. Chez ses prédécesseurs, on voit Don Juan séduire, s'aventurer dans des ruses à l'issue incertaine, occire ou berner qui se met en travers de ses desseins ; fuir, parfois, mais toujours diriger sa course au gré du désir qui l'anime, à la recherche d'une nouvelle rencontre amoureuse. Chez Molière, Dom Juan est au contraire l'homme de beaucoup de paroles mais de peu d'actions : aucun rappel précis de ses exploits antérieurs, guère de détails concernant la façon dont il a séduit puis abandonné Elvire, ou tué en duel le Commandeur ; aucun projet précisément déterminé, sinon une aventure galante à peine évoquée

(I, ii, fin de la scène), et qui tourne court après le naufrage sur lequel s'ouvre l'acte II [1]. Quant à l'action représentée dans le cours de la pièce, si l'on excepte quelques coups d'éclat (III, ii-iii, lorsque Dom Juan se jette dans le combat inégal qui oppose Dom Carlos à une troupe de bandits), elle se ramène presque à une perpétuelle dérobade. *Dom Juan*, c'est la représentation d'une fuite [2] où le personnage qui joue l'esquive sauve les apparences par une éloquence virtuose, qui lui permet de *paraître* plus ou moins maître de la situation. Du point de vue dramaturgique, l'intrigue est construite comme une série de « rencontres fâcheuses » que le héros doit esquiver les unes après les autres, ce qui révèle une certaine affinité de structure entre *Dom Juan* et *Les Fâcheux*, une comédie mêlée de ballets composée par Molière en 1661. Le canevas de ce divertissement est très simple : le personnage principal, Éraste, voudrait s'entretenir tendrement avec la belle Orphise ; il est sans cesse entravé dans son dessein par un défilé d'importuns. De même, ici, l'arrivée inopinée d'Elvire est la première des « rencontres fâcheuses » (I, ii) qui vont se succéder tout au long de la dernière journée de Dom Juan ; et le séducteur qui vient de débiter à son valet un brillant programme de conquête amoureuse doit se soustraire, par des justifications hypocrites et peu efficaces, aux récriminations d'une épouse abandonnée. Il annonce alors (fin de l'acte I) sa résolution de « songer à l'exécution de [son] entreprise amoureuse » : projet mis en déroute par un naufrage. Saisissant l'occasion au vol, il amorce aussitôt une tentative de séduction des deux pay-

---

1. La fonction de ce projet est essentiellement de justifier la présence de Dom Juan en Sicile, comme en témoigne une confidence à Sganarelle : « Il est question de te dire qu'une beauté me tient au cœur, et qu'entraîné par ses appas, je l'ai suivie jusques en cette ville », I, ii.

2. Comme l'a fait remarquer Georges Forestier ; voir son article cité dans le Dossier, p. 171-173.

sannes rencontrées sur le rivage : piégé dans les contradictions de ses discours, il échoue à abuser vraiment l'une ou l'autre, et le voici déjà obligé de battre en retraite devant la menace de poursuivants armés : « Il faut user de stratagème, et éluder adroitement le malheur qui me cherche » (fin de l'acte II). Dans la forêt, la rencontre avec le Pauvre se solde par la mise en échec de ses menées tentatrices ; et lorsqu'il est découvert par les frères d'Elvire lancés à sa poursuite, c'est paradoxalement une action d'éclat, l'assistance qu'il a portée à Dom Carlos, qui lui permet de se dérober pour l'heure à leur vengeance (acte III). Un peu plus tard, en une plaisante saynète, Dom Juan esquive les mises en demeure de son créancier en le payant de paroles et de flatteries ; puis il laisse glisser sans répliquer les remontrances de Dom Louis, comme les ultimes supplications d'Elvire (acte IV). Mais le rythme des interventions importunes s'est accéléré, et Dom Juan doit songer à quelque ruse plus puissante pour se tirer de ces nombreux périls : c'est la contrefaçon de la dévotion, « stratagème utile », dit-il, « pour [...] me mettre à couvert, du côté des hommes, de cent fâcheuses aventures qui pourraient m'arriver ». Le mensonge, ici, sert à couper court à toutes les poursuites : celles du père et celles des frères d'Elvire. Ceux-ci ne se laissent pourtant pas « éblouir par ces belles excuses », et Dom Juan leur fait entrevoir, avec l'ambiguïté d'un casuiste, la perspective d'un duel. Mais l'étau se resserre autour du libertin, et les échéances se rapprochent : devant le Ciel et le châtiment d'une conduite impie, on ne peut se dérober. L'apparition de la Statue met fin à la course-poursuite. Il faut noter que Molière, au contraire de ces prédécesseurs, ne présente pas un Dom Juan intrépide se rendant *de lui-même* à l'invitation du Commandeur : c'est la Statue qui vient se mettre en travers de son chemin. « *Arrêtez*, Dom Juan »...

Car la perpétuelle fuite en avant du libertin est fuite devant les apparences, fuite devant les signes qui annoncent sa fin funeste, fuite devant les conséquences de ses actes : la pièce est scandée par les avertissements de l'imminence d'une vengeance du Ciel [1], qui va sous peu mettre un terme à sa conduite impie. La ronde de personnages qui apparaissent, lancent en vain à Dom Juan un avertissement, un conseil, une imprécation ou une supplication, imprime son rythme à l'action dramatique – un rythme qui s'intensifie lorsque les puissances surnaturelles se joignent au concert ; il trouve sa résolution dans la damnation du pécheur endurci qui a écarté jusqu'à la dernière les occasions de se repentir, et s'est même joué *in fine* des apparences du repentir.

L'EXPLORATION DES TONALITÉS DRAMATIQUES

Ainsi, Molière a poussé à un point extrême, dans *Dom Juan*, l'efficacité dramaturgique et le sens du spectacle : occupation de la scène, ballet des personnages, dessein et rythme de l'intrigue. Cette efficacité doit aussi beaucoup à la subtile alternance des moments de tension et des moments de détente, des passages lyriques, graves ou émouvants, et des bouffonneries. Tension, les apparitions passionnées qui se relient à l'action principale, la poursuite de Dom Juan par Elvire, ses frères, et le Commandeur ; détente, les petites scènes comiques détachées de cette intrigue centrale, comme la rencontre avec les paysans, l'audience accordée à Monsieur Dimanche, et surtout les cocasses joutes oratoires que constituent les entretiens du maître et du valet. Pour faire coexister ces éléments à l'intérieur du genre de la comédie, Molière a dû en reculer les limites et faire appel à toutes ses ressources d'écrivain. Il faut se souvenir qu'au XVIIe siècle, la prose était canton-

---

1. On en trouvera un relevé précis dans le Dossier, p. 174-175.

née, dans son usage dramatique, aux brefs divertissements en un ou trois actes, souvent dans le goût de la farce. Les vers, unique langage dramatique pour les genres plus nobles de la tragédie ou de la tragi-comédie, s'employaient aussi dans les comédies dites sérieuses, en cinq actes ; ils entraînaient souvent une certaine uniformité de ton. *Dom Juan* offre en son temps un exemple fort rare de comédie en cinq actes et en prose, mêlant dans une sorte de tempérament ou d'équilibre inédit le style noble et passionné d'Elvire, le style sévère de Dom Louis, le style artificieux de Dom Juan et le style bas des valets – jusqu'au patois des paysans restitué de façon assez réaliste et pittoresque ! Seule cette prose très souple, dont on voit à chaque scène combien Molière en avait une maîtrise parfaite, pouvait sertir dans un même spectacle des styles, des discours, des parlers et même des *genres* hétérogènes. Car il est certains passages de cette pièce qui semblent échapper à la comédie au sens strict : les rencontres avec les frères d'Elvire, et l'étrange réflexion sur l'honneur qui s'y tisse (III, III-IV), évoquent tout à fait l'univers héroïque de la tragi-comédie ; cependant que les deux apparitions bouleversantes d'Elvire et le discours que Dom Louis adresse à son fils (IV, IV) possèdent une noblesse, une gravité et une puissance d'émotion qui communiquent à certains moments de la pièce une tonalité proche de la tragédie.

Cette hétérogénéité se fait jour à l'intérieur même des éléments de comédie, puisés à plusieurs sources. Lorsque Molière glisse dans les discours de Dom Juan les sophismes de l'éloquence paradoxale [1] pour justifier l'inconstance, ou faire l'apologie de l'hypocrisie, il puise ses effets dans une tradition rhétorique cultivant la pointe, le trait d'esprit. Ailleurs, le personnage se livre avec ses

---

1 Voir le Dossier, p. 168-171

interlocuteurs à de véritables ballets verbaux, d'une éblouissante virtuosité, qui supposent de la part du dramaturge et des acteurs une belle maîtrise des échanges de répliques rapides, et un véritable sens de la repartie : voir la scène où Dom Juan tente de se jouer des deux paysannes, et celle où il esquive la requête de Monsieur Dimanche. Dans le même temps, ce que ces discours révèlent du personnage de Dom Juan ou de la société dans laquelle il évolue nous ramène sur les terrains familiers de la comédie de caractères ou de la satire des mœurs du temps. Mais ces morceaux de bravoure ne constituent qu'un des aspects du comique de *Dom Juan*. Sganarelle apporte au spectacle les effets plus simples, mais non moins savoureux, de la farce : le dialogue qu'il tisse avec son maître [1] – véritable basse continue qui ménage les liaisons entre les épisodes, donne son unité à la pièce et sa continuité à l'action – n'est pas sans évoquer les échanges truculents entre Tabarin et son maître, qui faisaient les délices des spectateurs du théâtre de foire. Ailleurs, les jeux de scène du valet, tels que les suggèrent les didascalies ou les dialogues eux-mêmes, rappellent l'univers de la *commedia dell'arte*. L'acte II, enfin, avec ses jeux d'imitation du patois, évoque telle comédie fondée en grande partie sur ce procédé comique (*Le Pédant joué*, de Cyrano de Bergerac) ; mais la façon dont Molière caricature les jugements simples et les façons naïves de ses paysans doit tout à son talent propre pour croquer avec tendresse les ridicules et les faiblesses de la nature humaine.

---

1. Il se poursuit au long de huit échanges développés, disposés assez régulièrement au fil de la pièce : I, II ; III, I ; III, V ; IV, I ; IV, V ; IV, VII ; V, II ; V, IV.

LA VERTU DE L'IRONIE

L'accumulation de ces divers effets comiques, les paradoxes, les décalages, le perpétuel contre-point entre les bouffonneries du valet et les provocations du maître, le mélange de discours élégants pour faire l'éloge de conduites scandaleuses (le libertinage amoureux, le cynisme et l'hypocrisie, l'incroyance) et de raisonnements boiteux pour défendre les valeurs traditionnelles (la foi, la religion, la morale), tout cela communique à la pièce une couleur qui est celle de l'ironie et de la dérision : car presque tout, dans *Dom Juan*, est affecté par cette *optique ironique* [1] qui émane des échanges corrosifs entre Dom Juan et Sganarelle. Ce couple comique, géniale création de Molière, semble se donner perpétuellement la comédie à lui-même : et si l'on surprend souvent le valet s'essayant à singer son maître, s'aventurant dans de grands raisonnements qui finissent par « se casser le nez » (III, I), il faut voir que les tirades de Dom Juan sont toujours marquées par le désir d'éblouir, d'intriguer, de désorienter ou de choquer Sganarelle. Ces deux-là aiment à *disputer*, à imiter par jeu les passes d'armes du dialogue philosophique : « vous savez bien que vous me permettez les disputes, et que vous ne me défendez que les remontrances », rappelle Sganarelle (III, I). Il y a là quelque chose d'un exercice gratuit et enjoué, aussi ces dialogues ne doivent-ils jamais être pris au pied de la lettre, comme une expression de la pensée profonde de Molière lui-même : celui-ci joue à imprimer un air de facétie ou de raillerie à chaque réplique de ces deux personnages comiques. Au point que cette dérision perpétuelle finit par désorienter le spectateur ou le lecteur : lorsque tout paraît destiné à faire rire,

---

1. Ce développement doit beaucoup aux analyses de Patrick Dandrey dans son ouvrage *Dom Juan ou la critique de la raison comique*, Champion, 1993.

comment distinguer à la fin ce qui est vraiment ridicule de ce qu'il faudrait tout de même respecter ? Difficile de faire le départ lorsque le dramaturge joue à inverser ironiquement tous les discours : la défense de valeurs intangibles, et d'abord de la foi, est placée dans la bouche d'un valet ignorant et fier de l'être ; ses raisonnements approximatifs mêlent la religion à la superstition, font d'un même mouvement l'éloge de la Création divine de l'univers (III, i), celui du « Moine bourru », du vin émétique ou du tabac, et peuvent même se réduire à égrener une chaîne absurde de lieux communs quand les arguments font défaut (V, ii). C'est facétie de la part de Molière, sans doute ; mais cela n'incite-t-il pas à remettre en cause ces vérités admises ou apprises, dont on ne voit finalement plus bien sur quoi elles reposent ? À l'inverse, les tirades spécieuses par lesquelles Dom Juan justifie l'infidélité, le papillonnage amoureux ou l'hypocrisie ont la belle apparence des discours bien construits. C'est satire de la part de Molière, sans doute, qui dénonce ainsi plaisamment les sophismes auxquels peut conduire l'athéisme ; mais n'est-il pas troublant de voir que l'on peut argumenter en faveur de l'infamie avec autant d'aplomb qu'en faveur de la vertu ? Une telle confusion appelle d'abord le rire : mais l'ironie généralisée jette à la fin le doute sur toutes les opinions, détruit toutes les certitudes, questionne toutes les apparences. Cette optique comique inspire un scepticisme enjoué qui incite spectateurs et lecteurs à s'en remettre à leur jugement, à leur propre conscience.

Le comique de *Dom Juan* est donc bien plus qu'un ornement piquant destiné à renouveler un sujet déjà connu, bien plus aussi qu'une simple source de plaisir superficiel : il enseigne à porter un regard de dérision et de doute ironique sur les sujets même les plus sérieux, sur les croyances que l'on oublie de questionner, sur les jugements trop bien argumentés ; il constitue peut-être à ce titre la leçon la plus profonde de la pièce.

L'AMBIGUÏTÉ ET LES RISQUES DE L'IRONIE

Une telle primauté du regard ironique n'est pas courante chez Molière ; elle est même unique à ce degré. Dans la plupart de ses comédies, face aux vices, aux lubies, aux ridicules, à l'aveuglement, un personnage se charge d'incarner un idéal éthique équilibré, une position de raison éclairée [1]. Il présente en somme le point de vue tempéré des personnes de bon sens : c'est Chrysalde dans *L'École des femmes*, Cléante dans *Le Tartuffe*, Philinte dans *Le Misanthrope*. Ce repère fait défaut dans *Dom Juan*, « œuvre ouverte » dont le sens ultime est abandonné à la sagacité du spectateur. C'est un pari sur l'intelligence d'un public « honnête » au sens que ce mot prenait au XVIIe siècle, mais un pari risqué qui ne fixe aucune borne au décalage ironique, et ne lève pas certaines ambiguïtés de la pièce. Ainsi lorsque Sganarelle, au dénouement, lance sa fameuse exclamation « Mes gages, mes gages, mes gages ! » cependant que son maître s'abîme dans les flammes de l'Enfer, faut-il y voir une manière de tourner en dérision la conclusion traditionnelle du mythe ? Lors de la première représentation de *Dom Juan*, certains ont exprimé une incertitude : Molière n'aurait-il pas voulu ridiculiser l'idée même d'un châtiment divin en représentant la damnation du libertin par des artifices de théâtre trop visibles (feu de carton, foudre en peinture), et en y mêlant les bouffonneries de Sganarelle ? Cette interprétation fonde les attaques lancées par les ennemis de Molière contre la pièce : mais elle n'est pas nécessairement dictée par la seule malveillance.

---

1. Voir sur ce point : Patrick Dandrey, *Molière ou l'esthétique du ridicule*, Klincksieck, 1992, p. 185-219.

Au XVIIᵉ siècle, en effet, on jugeait impensable de porter sur la scène, même respectueusement, certaines questions sérieuses, incompatibles par nature avec ce divertissement frivole qu'est le théâtre. Mesure-t-on alors l'irrespect qu'il y avait à représenter par des artifices mécaniques les miracles opérés par la toute-puissance de Dieu, et plus encore à *faire rire* en montrant des personnages discutant de foi, de superstition, de manifestations surnaturelles ? Molière, on l'a dit, voulait répondre à l'interdiction du *Tartuffe*, mais il n'est pas certain qu'il ait tout à fait mesuré le caractère profondément scandaleux de sa nouvelle pièce. Le pouvoir corrosif de l'ironie de *Dom Juan* dépassait de très loin la satire mordante du *Tartuffe*.

Molière, averti sans doute par Louis XIV lui-même, dut rapidement réaliser à quel point cette pièce trop ambiguë – trop ambitieuse peut-être – pouvait choquer. Elle touchait les matières les plus délicates qui fussent en ce temps – la foi, la morale, l'hypocrisie religieuse – sans que l'auteur y donne à lire son message de façon claire, prêtant ainsi le flanc aux confusions les plus dangereuses. Au lendemain de la première représentation, il tentait de tempérer la portée provocatrice de la comédie en coupant certains passages, comme la scène du Pauvre, et en désamorçant le mode ironique sur lequel était traité le dénouement (les tout derniers mots de Sganarelle étaient supprimés). Mais ces accommodements pouvaient-ils suffire ? Au bout de quinze jours, à l'occasion d'une relâche, Molière retirait sa pièce de l'affiche. Rien de comparable avec ce qui s'était passé pour le *Tartuffe* : pas d'interdiction, et pas de contestation de cette interdiction par le dramaturge ; c'est lui-même qui jugea prudent de ne pas persévérer dans la représentation d'une œuvre qui pouvait lui attirer de graves accusations d'impiété et de blasphème. Ce faisant, il la vouait au silence, choisissant de ne pas la publier alors qu'il avait pris un privilège pour le faire, et renonçait même à attendre une occasion favorable pour la monter de nouveau (au contraire du *Tartuffe*). La pièce parut seulement dans l'édition posthume des *Œuvres* de Molière (1682) ; encore était-elle notablement expurgée. Elle ne fut reprise sur scène qu'après la mort de Molière, dans une adaptation versifiée et édulcorée de Thomas Corneille qui occulta en quelque sorte l'œuvre originale jusqu'au milieu du XIXe siècle : son caractère scandaleux mit long-temps à s'atténuer.

Dom Juan, un masque de Molière ?

Si cette comédie, aujourd'hui encore, demeure problématique pour bien des lecteurs, c'est que son ambiguïté empêche de saisir avec certitude ce que Molière a voulu y exprimer. On l'a dit, aucun per-sonnage n'incarne dans la pièce la position tem-pérée et raisonnable qui est d'ordinaire celle du dramaturge ; ses ennemis auraient-ils eu raison en l'accusant d'avoir cette fois dissimulé ses opinions les moins avouables derrière le masque de son héros ? Par un mouvement naturel, on est souvent tenté de voir dans le personnage central d'une œuvre le porte-parole de l'auteur. Est-ce ici le cas ? Molière, certes, a pu être proche du liberti-nage intellectuel de son époque ; il fut peut-être disciple de Pierre Gassendi, principal artisan de la diffusion de la philosophie matérialiste d'Épicure dans la France du XVIIe siècle. Mais ce courant de pensée, s'il se caractérisait par le refus de toute adhésion aveugle à une orthodoxie ou à un prin-cipe d'autorité, et par une liberté de conscience impliquant l'examen critique des dogmes, n'était pas nécessairement ennemi du sentiment reli-gieux : scepticisme et athéisme ne se confondent pas. Ce sont les ennemis du « libertinage érudit » qui, considérant ceux qui se réclamaient de cette philosophie épicurienne comme des « pourceaux d'Épicure » (pour citer Sganarelle), ont voulu lier

cette attitude intellectuelle à un goût de la provocation et du blasphème, illustré alors par quelques
aristocrates dont la conduite débauchée faisait
scandale. Molière, s'il avait voulu exposer ses
propres opinions philosophiques à travers le personnage de Don Juan, n'eût sans doute pas cau-
tionné un tel amalgame. Il est par ailleurs difficile
d'imaginer que le dramaturge, en situation délicate
pour avoir dénoncé l'hypocrisie de certains dévots,
se fût risqué à porter sur le théâtre une apologie
de l'athéisme ! Enfin et surtout, lorsqu'à l'acte V
Dom Juan couronne sa carrière immorale en la
couvrant du masque de la dévotion, la satire impitoyable de l'hypocrisie montre bien que Molière
n'épouse nullement le point de vue de son personnage, tout au contraire. Pour respecter la logique
du mythe, il a fait de Dom Juan un beau parleur,
un séducteur ; pas pour autant un personnage
auquel le spectateur doive s'attacher, « s'intéres-
ser » comme on disait alors. L'orgueil, le cynisme
et l'égoïsme de sa conduite, qui éclatent dans les
confrontations avec Elvire, Dom Louis ou le
Pauvre, ne sont pas éclairés sous un jour qui vise
à les justifier, encore moins à les donner en
exemple. Molière ne souhaitait certes pas que l'on
souscrivît aveuglément à la morale rigide imposée
par l'Église ; il ne prônait pas pour autant une
conduite affranchie de toute règle, et du simple
respect d'autrui. Son œuvre dramatique est celle
d'un *moraliste* : non qu'elle énonce des impératifs,
des lois ; mais elle élabore une réflexion sur les
mœurs, la nature humaine, les caractères, les
conduites en société, s'efforçant d'en corriger, par
le rire, les excès et les dérèglements.

Le personnage de Dom Juan n'est donc pas un
double fictif du dramaturge ; celui-ci ne pourrait
pas davantage être identifié au personnage qu'il
incarnait lui-même sur scène – Sganarelle – pour
des raisons d'efficacité comique. Aucun personnage secondaire ne peut non plus prétendre représenter la voix ou les convictions de Molière : ceux

vers qui se porte naturellement la bienveillance du spectateur, Elvire, Dom Louis, Dom Carlos ou le Pauvre, bénéficient d'une sympathie née de l'émotion ou de la compassion ; mais leurs valeurs – l'ardeur religieuse d'Elvire, la piété familiale de Dom Louis, l'inflexible code d'honneur de Dom Carlos, l'idéal de foi et de dénuement de l'ermite – ne sauraient être érigées en modèle pour régler les conduites humaines. Molière n'est reconnaissable en aucun de ces excès : il se contente de renvoyer dos à dos l'athéisme raisonneur, aveugle, et finalement dogmatique de Dom Juan, et la foi crédule et superstitieuse du valet railleur. Le point de vue de l'auteur n'est pas celui d'un personnage, mais, répétons-le, l'optique ironique de la pièce tout entière.

Le portrait du libertin

Le malentendu identifiant Molière à son héros avait cependant quelque raison de s'installer : l'éclat particulier, l'extraordinaire présence scénique du personnage pouvaient faire se méprendre spectateurs et lecteurs, et donner l'impression d'une certaine complaisance à l'égard de Dom Juan. C'est que la comédie entière constitue un éblouissant *portrait en paroles et en actes* du libertin, précisant l'esquisse qu'en donne Sganarelle à son complice Gusman dès l'exposition : « ce n'est là qu'une ébauche du personnage, et pour en achever le portrait, il faudrait bien d'autres coups de pinceau ». Par touches successives, au fil des scènes et des répliques, Molière compose un être complexe, qui donne l'illusion d'une extraordinaire profondeur, et dont l'élégance hautaine a quelque chose de fascinant. Essayons de cerner un peu mieux les contours de ce personnage.

En lui donnant vie, Molière respecte d'abord quelques-uns des traits essentiels par lesquels l'avaient défini ses prédécesseurs. En premier lieu, le *libertinage*, qu'il faut entendre dans ses deux significations. Dom Juan est toujours le séducteur cynique, l'« épouseur à toutes mains » qui passe d'une femme à une autre sans s'attacher à aucune, même s'il l'est ici davantage en paroles qu'en actes : sa conduite est libertine au sens où on l'entend encore au XVIIIe siècle, c'est-à-dire guidée par la poursuite du plaisir des sens. Mais au temps de Molière, le premier sens de libertinage est d'abord intellectuel : on l'a dit, le libertin, au XVIIe siècle, est celui qui au nom de la liberté de conscience refuse d'accepter aveuglément les croyances qui fondent l'ordre social, soit dans une attitude intellectuelle de mise en doute, de libre examen – par scepticisme – soit dans un mouvement superbe de refus pur et simple d'envisager l'intrusion du surnaturel dans le cours des choses – par athéisme dogmatique. Le portrait moral de Dom Juan que Sganarelle brosse à Gusman incite d'emblée à trancher en faveur de l'athéisme pour ce scélérat, cet hérétique « qui ne croit ni Ciel, ni Enfer, ni loup-garou ». Ailleurs, éludant la curiosité et les interrogations pressantes de Sganarelle touchant ses convictions, Dom Juan répond par quelques traits équivoques : mais l'athéisme pointe encore lorsqu'il affirme mettre toute sa foi dans des convictions purement rationalistes dont l'emblème est la célèbre formule « Je crois que deux et deux sont quatre, Sganarelle, et que quatre et quatre sont huit » (III, 1). Ce dogme unique et la certitude de pouvoir trouver une explication rationnelle à toute chose conditionnent son aveuglement devant les manifestations surnaturelles qui l'avertissent de l'issue fatale de son impiété : quittant le tombeau du Commandeur, il refuse de s'interroger sur le mystère de la statue mouvante (« laissons cela : c'est une bagatelle, et nous pouvons avoir été trompés par un faux jour, ou surpris de quelque vapeur qui nous ait troublé la vue », IV, 1), et plus loin il refuse de se laisser impressionner par le spectre qui lui prodigue un dernier avertissement (« Si le Ciel me donne un avis, il faut qu'il parle un peu plus clairement, s'il veut que je l'entende » ; « Spectre, fantôme ou diable, je veux voir ce que c'est », V, IV-v). Sganarelle, à la dernière réplique de l'acte III, résume sans ambiguïté cette attitude : « Voilà de mes esprits forts qui ne veulent rien croire. » Et la confidence glissée plus loin au même Sganarelle, après l'ultime discours de Done Elvire (« Oui ma foi [*sic* !], il faut s'amender ; encore vingt ans de cette vie-ci, et puis nous songerons à nous », IV, VII), loin de marquer le trouble du libertin, n'est qu'un bon mot adressé au valet pour le faire marcher un instant : une provocation de plus, et peut-être un hommage de Molière à la formule qui rythme le *Don Juan* de Tirso de Molina : « Bien lointaine est votre échéance »...

Molière présente cet athéisme davantage comme une provocation lancée à la face de la société que comme un mouvement de révolte contre la divinité (à l'encontre des interprétations modernes qui voudraient voir dans les agissements scandaleux de l'athée une sorte d'appel désespéré sommant Dieu de se manifester, fût-ce par la damnation). Dom Juan ne fait preuve nulle part dans la pièce de défiance explicite envers Dieu, et rien n'indique qu'on doive comprendre l'invitation lancée à la statue comme un défi adressé au Ciel : c'est plutôt un bon mot, un blasphème élégant que le libertin jette sans en mesurer les conséquences, une excentricité qui lui vient à l'esprit pour se jouer de la couardise de Sganarelle, et qui couronne les railleries émaillant la scène (III, v). C'est d'ailleurs sans y penser qu'il s'est rendu en ce tombeau, invoquant seulement le désir de voir la statue du Commandeur, dont « tout le monde [lui] a dit des merveilles ». En revanche, Molière peint un personnage qui rejette violemment les valeurs édictées par l'Église, et semble savourer l'offense qu'il fait à la société en bafouant ce sur quoi elle est fondée. Il se défie du mariage, dont Sganarelle rappelle qu'il est un « mystère sacré », et déclare avec ironie : « c'est une affaire entre le Ciel et moi » (I, II) ; il tourmente le Pauvre afin d'obtenir de lui un blasphème et s'obstine à lui montrer la vanité des prières ; il transgresse avec insolence l'autorité d'un père qui ne cesse, dans ses remontrances, d'en appeler au Ciel (IV, IV) ; et le stratagème de son hypocrisie finale paraît devoir quelque chose au plaisir de bafouer la religion en couvrant de son autorité les pires forfaits. Dom Juan donne la comédie, montrant que le Ciel, la foi, ne sont pour lui que des mots qu'il utilise avec virtuosité dans ses discours artificieux : son hypocrisie se veut en accord avec un monde où seules comptent, selon lui, les apparences.

DOM JUAN, SPECTATEUR ET ACTEUR

Car le trait de caractère le plus saillant du personnage imaginé par Molière, c'est le suprême *détachement* qui lui fait regarder tout ce qui l'entoure en spectateur amusé : la métaphore humaniste du Théâtre du Monde, qui voulait que chaque individu joue dans l'humaine comédie un rôle assigné par la divinité, est ici totalement subvertie. Dom Juan regarde le monde comme un *spectacle* sans conséquence, qui n'a d'intérêt que par la jouissance qu'il peut en retirer. Le personnage n'est cependant pas présenté en simple jouisseur qui s'étourdit de plaisirs faciles, comme le Don Juan de Tirso : sa jouissance est plus élaborée, plus raffinée, et naît surtout de la beauté qu'il trouve, subjectivement, dans ce qui l'entoure, dans ses actes et sa propre personne. Le jugement esthétique est chez lui substitué à la conscience morale : d'où une théâtralisation de ses agissements et de sa parole, une perpétuelle mise en scène de lui-même. Peu importe à Dom Juan que ses discours soient sincères ou hypocrites, ses raisonnements solides ou sophistiques : pourvu que ce soient des paroles brillantes, capables de leurrer son public du moment – Elvire, une paysanne, un créancier,

Sganarelle le plus souvent. Ses paroles ne valent jamais pour elles-mêmes, elles ne sont pas l'expression de sa subjectivité : il parle « tout comme un livre » (I, II), débitant provocations et paradoxes, flatteries et menteries qui visent le seul *effet*, la victoire sur un interlocuteur ébloui, séduit ou interdit. Peu lui importe aussi que ses actes soient moraux ou immoraux : ils sont guidés par la seule recherche du beau geste.

On peut éprouver parfois le sentiment que Molière prête à Dom Juan quelque attachement au code ancien de l'honneur aristocratique : ce n'est qu'une illusion. Dom Juan en vérité n'est guère soucieux d'honneur, lui qui raille ouvertement les discours paternels en appelant à la droiture morale que se doit un gentilhomme bien né (IV, IV) ; lui qui ne recule devant aucun mensonge, aucune hypocrisie ; qui s'abaisserait même à se déguiser des habits de son valet pour échapper à ses poursuivants (II, V). Qu'est-ce qui pousse alors ce personnage, qu'une bonne partie de la pièce représente dans une posture de fuite, à se précipiter paradoxalement dans un péril qui ne le cherchait pas, comme l'observe Sganarelle (III, III), pour secourir Dom Carlos dans un combat inégal contre des bandits ? Le désir d'accomplir une « action généreuse », c'est-à-dire *éclatante*, qui vaut par la beauté du geste : même en l'occurrence, Dom Juan est mû non par l'honneur, mais par cet idéal d'élégance hautaine qu'il affecte sans cesse.

DOM JUAN ET L'ESTHÉTIQUE DE LA CRUAUTÉ

Ce spectateur impassible du spectacle du monde fuit tout attendrissement (une femme éplorée, un père brisé, un homme réduit à mourir de faim ne peuvent l'émouvoir) comme tout étonnement (il ignore, ou il nie, les apparitions surnaturelles qui se présentent à lui). Le sentiment qu'il manifeste avec le plus de constance, c'est une sorte de cruauté d'esthète, qui lui fait trouver de la beauté,

du charme, un air piquant, à la détresse ou la douleur d'autrui ; il semble prendre son plaisir à déshonorer, à dépraver, à pervertir. La jouissance
qu'il caresse en confiant à Sganarelle le projet
d'une entreprise galante (I, II), ce n'est pas tant
celle que lui procurera la possession d'une
femme que le fait de déranger l'entente entre
deux amants : « je me figur[e] un plaisir extrême
à pouvoir troubler leur intelligence » (I, II). Peu
avant, dans son éloge de l'inconstance, il insistait
déjà sur le plaisir d'abuser d'une jeune fille innocente en forçant peu à peu sa résistance. Et
lorsque Elvire vient le trouver une dernière fois,
il ignore ses supplications, mais apprécie en
connaisseur sa souffrance, pour lui pleine de
charmes : « son air languissant et ses larmes ont
réveillé en moi quelques petits restes d'un feu
éteint » (IV, VI). Pareil raffinement pervers fait
de ce Dom Juan un personnage tourné déjà vers
l'érotisme noir qui enténèbre tout un pan de la
littérature du XVIIIᵉ siècle.

La même cruauté entre dans son attitude de raillerie envers le Pauvre, et permet peut-être de
comprendre une des scènes les plus controversées
de l'œuvre (III, II). Dom Juan joue du dénuement
extrême du mendiant pour le forcer à jurer,
s'amusant méchamment à inverser les termes de
l'échange qui lui était proposé : refusant d'accor-
der une aumône contre des prières, il propose un
louis d'or en échange d'un blasphème. Prêt à payer
pour le plaisir de voir l'ermite forcé de commettre
un péché, il veut en fait que celui-ci se donne pour
lui en spectacle. Et quand Molière montre cette
admirable figure de mendiant incorruptible résis-
tant à la tentation, l'attitude qu'il prête à Dom
Juan, lui jetant finalement le louis « pour l'amour
de l'humanité », est elle aussi spectacle : le grand
seigneur criblé de dettes, avec une souverain
désintéressement, dilapide son argent pour la seule
beauté d'un geste de largesse.

Cruauté en amour, indifférence au spectacle du monde regardé avec une curiosité cynique, théâtralité du comportement et des paroles, scepticisme absolu, volonté de porter sur les êtres et le monde un regard purement esthétique, libéré de toute morale : tous ces aspects font du personnage de Molière l'ancêtre du *dandy* pervers et voluptueux de la littérature de la fin du XIXᵉ siècle.

DOM JUAN ÉNIGMATIQUE ET SILENCIEUX

Au total, ce sont *trop* d'images différentes de Dom Juan qui se superposent au fil de l'action tourbillonnante de la pièce de Molière : le personnage a parfois quelque chose d'un petit marquis affecté et enrubanné, mais apparaît ailleurs en virtuose de la parole séductrice ; il se révèle à l'occasion d'une lucidité redoutable, mais toute la marche de l'intrigue témoigne de son aveuglement ; esprit fort, l'incessante fuite en avant dans laquelle il est jeté révèle en lui une faiblesse fondamentale ; raisonneur et sophiste, ses discours artificieux contribuent toutefois à détruire certaines apparences illusoires ; personnage de comédie, il communique à la pièce un tel enjouement qu'il fait presque oublier que celle-ci n'est qu'une inexorable marche vers la mort et la damnation. Présenté par Molière sous un éclairage sans cesse changeant, le personnage désoriente le spectateur : on le voit s'abîmer dans les feux de l'Enfer sans que l'on soit vraiment parvenu à le comprendre. Cette impénétrabilité est peut-être la clé de la fascination qu'exercent la pièce et son héros ; elle explique aussi la plasticité d'une œuvre qui se prête aux interprétations les plus diverses.

Comment Molière a-t-il créé cette ambiguïté fondamentale ? Paradoxalement, par un certain *silence* de Dom Juan. Silence, quand le personnage ne cesse de prendre la parole tout au long de la pièce ? Mais cette parole n'est qu'une sorte

de spectacle qu'il se donne et qu'il donne aux
autres, en incarnant avec virtuosité un rôle à la
fois séducteur et provocateur. *Jamais* Molière ne
délivre au spectateur la parole de Dom Juan
comme une voie d'accès au for intérieur de son
héros : le fond de ses pensées, ses convictions et
ses sentiments restent d'un bout à l'autre de la
pièce inconnus, inconnaissables. Que pense-t-il
vraiment ? Et surtout, *que cherche-t-il ?* Impossible de le dire. D'ailleurs, à qui Dom Juan pour-
rait-il découvrir ses pensées ? La petite comédie
qu'il joue constamment avec Sganarelle et le
caractère burlesque du valet interdisent à celui-ci
d'être un véritable confident ; lorsqu'il interroge
son maître sur ses convictions avec une curiosité
obstinée (III, ı), l'autre élude, ou réplique par des
provocations délibérées [1]. Et quand le libertin
déclare à Sganarelle : « je suis bien aise d'avoir
un témoin du fond de mon âme et des véritables
motifs qui m'obligent à faire les choses » (V, ıı),
c'est seulement lorsque Molière a besoin de lui
faire révéler par une confidence son stratagème
hypocrite, et la noirceur inchangée de son âme
dissimulée derrière le manteau de la religion.
Dom Juan ne se confie pas plus aux femmes qui
croisent son chemin, puisque la parole alors lui
sert d'instrument de conquête et de tromperie,
d'artifice séducteur. Nulle émotion manifestée
non plus face à la statue du Commandeur, nul
échange entre le libertin damné et le ministre du
châtiment divin ; confronté au surnaturel, Dom
Juan semble s'appliquer à contenir ses réactions :
« montrons que rien ne me saurait ébranler » (IV
vıı) ; « Non, non, rien n'est capable de m'imprimer de la terreur » (V, v). Constamment *en
représentation*, la parole sincère lui est comme

---

1 Il était de toute façon impensable que les paroles du libertin soient
   proférées autrement que sur le mode de la provocation, dans ces
   échanges facétieux ; elles ne pouvaient prendre la forme d'une
   profession d'athéisme adressée sérieusement au public.

interdite ; cinq actes, beaucoup de rencontres, beaucoup de paroles échangées, et le personnage pourtant demeure opaque, énigmatique, faute que Molière ait voulu révéler son intériorité. La séduction particulière qu'exerce *Dom Juan* ne s'explique pas seulement par l'extraordinaire efficacité dramatique et comique de la pièce, par sa richesse, sa complexité ou sa vigueur provocante : elle naît sans doute aussi de ce mystère, de ces silences qui confèrent au personnage de Dom Juan une stature fascinante et inquiétante, et font de lui une des créations les plus mémorables du théâtre de Molière.

Boris DONNÉ.

NOTE SUR LE TEXTE

Il n'existe pas de texte parfaitement satisfaisant de *Dom Juan* ; c'est la conséquence de l'absence d'édition parue du vivant de Molière. La première publication eut lieu en effet en 1682 – neuf ans après la mort du dramaturge, dix-sept après la création de la pièce – dans les *Œuvres de Monsieur de Molière*, publiés par les soins de Charles Varlet de La Grange, un des principaux acteurs de la troupe. La pièce figure dans le tome VII, consacré aux œuvres posthumes. Par prudence, La Grange et les éditeurs avaient imprimé un texte discrètement expurgé ; la scène du Pauvre avait été en partie coupée, l'exclamation finale de Sganarelle réclamant ses gages également ; quelques expressions concernant la religion avaient été adoucies. Peut-être ces modifications correspondent-elles aux aménagements réalisés par Molière lui-même après le scandale des premières représentations.
Cette réserve prudente de Molière, puis de La Grange, ne suffit cependant pas à apaiser les censeurs. Alors même que les volumes avaient été imprimés, ils exigèrent de nouvelles coupes, beaucoup plus étendues, qui mutilaient gravement la pièce : par exemple, toute la discussion qui clôt la scène I de l'acte III, et permet à Molière d'exprimer les convictions scandaleuses de Dom Juan (le célèbre « Je crois que deux et deux sont quatre ») est supprimée. C'est cette version qui fut mise en vente ; de la première, non censurée, il ne reste aujourd'hui que trois exemplaires.
En 1683 paraissait à Amsterdam une édition intitulée *Le Festin de Pierre, comédie. Édition nouvelle et toute différente de celle qui a paru jusqu'à présent*. Effectivement, elle donne un texte proche de l'édition non cen-

surée, où figurent même les passages les plus litigieux de l'œuvre (la scène du Pauvre et l'exclamation finale de Sganarelle). Sans doute l'éditeur imprimait-il un manuscrit émanant de l'entourage proche du dramaturge (le texte d'un des acteurs de sa troupe ?) ; mais hormis le mérite de donner à lire les passages coupés par Molière lui-même après les premières représentations, ce texte est moins fiable, dans le détail, que l'édition de 1682 non censurée.

On a donc suivi, pour la présente édition, l'usage consistant à reproduire le texte de 1682 non censuré, en y intercalant entre crochets les quelques scènes supprimées qui figurent dans l'édition hollandaise de 1683. L'orthographe a été entièrement modernisée. La ponctuation par contre n'a été retouchée que discrètement : elle est ici plus proche du texte original que dans la plupart des éditions modernes. On a fait le pari qu'elle indiquait peut-être quelque chose du mouvement oratoire et de la respiration des tirades : il faut se souvenir que La Grange, qui a surveillé avec soin la publication des *Œuvres* de 1682, était le comédien qui incarnait vraisemblablement Dom Juan sur scène aux côtés de Molière à la création de la pièce.

Dom Juan,
ou
le Festin de Pierre [1]

COMÉDIE.
Représentée pour la première fois,
le quinzième février 1665
sur le Théâtre de la Salle du Palais-Royal.
Par la Troupe de Monsieur, Frère Unique du Roi.

---

1. *Le Festin de Pierre* Molière reprend, comme sous-titre de sa pièce, une expression consacrée par l'usage, mais dépourvue de sens véritable. Tirso de Molina avait sous-titré sa pièce *El Combibado de pietra*, c'est-à-dire « le convive de pierre » – pour désigner le Commandeur. Les Italiens (Cicognini, Giliberto) traduisirent par *Il Convitato di pietra*, qui devint en français, par suite d'un contresens, *Le Festin de pierre* (Biancolelli, 1658). Pour garder ce titre connu du public, Dorimond (1659) et Villiers (1659) ont eu l'idée de baptiser le Commandeur... Pierre. Molière laisse de côté ce subterfuge.

PERSONNAGES

DOM JUAN, Fils de Dom Louis.
SGANARELLE, Valet de Dom Juan.
ELVIRE, Femme de Dom Juan.
GUSMAN, Écuyer d'Elvire.
DOM CARLOS, Frère d'Elvire.
DOM ALONSE, Frère d'Elvire.
DOM LOUIS, Père de Dom Juan.
FRANCISQUE, Pauvre.
CHARLOTTE, Paysanne.
MATHURINE, Paysanne.
PIERROT, Paysan.
LA STATUE du Commandeur.
LA VIOLETTE, Laquais de Dom Juan.
RAGOTIN, Laquais de Don Juan.
MONSIEUR DIMANCHE, Marchand.
LA RAMÉE, Spadassin.
SUITE de Dom Juan.
SUITE de Dom Carlos et de Dom Alonse, frères.
UN SPECTRE.

La scène est en Sicile.

ACTE PREMIER [1]

Scène première
SGANARELLE, GUSMAN

SGANARELLE, *tenant une tabatière.* – Quoi que puisse dire Aristote, et toute la philosophie, il n'est rien d'égal au tabac [2], c'est la passion des honnêtes gens ; et qui vit sans tabac, n'est pas digne de vivre ; non seulement il réjouit, et purge les cerveaux humains [3] ; mais encore il instruit les âmes à la vertu, et l'on apprend avec lui à devenir honnête homme. Ne voyez-vous pas bien dès qu'on en prend, de quelle manière obligeante on en use avec tout le monde, et comme on est ravi d'en donner à droit, et à gauche, partout où l'on se trouve ? On n'attend pas même qu'on en demande, et l'on court au-devant du souhait des gens : tant il est vrai, que le tabac inspire des sentiments d'honneur, et de vertu, à tous ceux qui en prennent. Mais c'est assez de cette matière, reprenons un peu notre discours. Si bien donc, cher Gusman, que Done Elvire ta maîtresse, surprise de notre départ, s'est mise en campagne après nous ; et son cœur, que mon maître a su toucher trop fortement, n'a pu vivre, dis-tu, sans le venir chercher ici ? Veux-tu qu'entre nous je te dise ma pensée ; j'ai peur qu'elle ne soit mal payée de son amour, que son voyage en cette ville produise peu de fruit, et que vous eussiez autant gagné à ne bouger de là.

---

1. Durant tout ce premier acte, le théâtre représente un palais (voir le Dossier, p. 158-159).
2. Il s'agit du tabac à priser, alors très à la mode.
3. Les médecins du temps considéraient que l'éternuement provoqué par une prise de tabac aidait le cerveau à se débarrasser de ses vapeurs épaisses, de ses impuretés.

GUSMAN. – Et la raison encore, dis-moi, je te prie, Sganarelle, qui peut t'inspirer une peur d'un si mauvais augure ? Ton maître t'a-t-il ouvert son cœur là-dessus, et t'a-t-il dit qu'il eût pour nous quelque froideur qui l'ait obligé à partir ?

SGANARELLE. – Non pas, mais, à vue de pays*, je connais à peu près le train des choses, et sans qu'il m'ait encore rien dit, je gagerais presque que l'affaire va là. Je pourrais peut-être me tromper, mais enfin, sur de tels sujets, l'expérience m'a pu donner quelques lumières.

GUSMAN. – Quoi, ce départ si peu prévu serait une infidélité de Dom Juan ? Il pourrait faire cette injure* aux chastes feux de Done Elvire ?

SGANARELLE. – Non, c'est qu'il est jeune encore, et qu'il n'a pas le courage.

GUSMAN. – Un homme de sa qualité* ferait une action si lâche ?

SGANARELLE. – Eh oui ; sa qualité ! La raison en est belle, et c'est par là qu'il s'empêcherait* des choses.

GUSMAN. – Mais les saints nœuds du mariage le tiennent engagé*.

SGANARELLE. – Eh ! mon pauvre Gusman, mon ami, tu ne sais pas encore, crois-moi, quel homme est Dom Juan.

GUSMAN. – Je ne sais pas de vrai quel homme il peut être, s'il faut qu'il nous ait fait cette perfidie ; et je ne comprends point comme après tant d'amour, et tant d'impatience témoignée, tant d'hommages pressants, de vœux, de soupirs, et de larmes ; tant de lettres passionnées, de protestations ardentes et de serments réitérés ; tant de transports*, enfin, et tant d'emportements qu'il a fait paraître, jusqu'à forcer dans sa passion l'obstacle sacré d'un couvent, pour mettre Done Elvire en sa puissance ; je ne comprends pas, dis-je, comme après tout cela il aurait le cœur de pouvoir manquer à sa parole.

---

* Les astérisques renvoient au Lexique en fin de volume, p. 205-210.

SGANARELLE. — Je n'ai pas grande peine à le comprendre moi, et si tu connaissais le pèlerin*, tu trouverais la chose assez facile pour lui. Je ne dis pas qu'il ait changé de sentiments pour Done Elvire, je n'en ai point de certitude encore ; tu sais que par son ordre je partis avant lui, et depuis son arrivée il ne m'a point entretenu, mais par précaution, je t'apprends (*inter nos**) que tu vois en Dom Juan, mon maître, le plus grand scélérat que la terre ait jamais porté, un enragé, un chien, un Diable, un Turc, un hérétique, qui ne croit ni Ciel, ni Enfer [1], ni loup-garou [2], qui passe cette vie en véritable bête brute, un pourceau d'Épicure [3], un vrai Sardanapale [4], qui ferme l'oreille à toutes les remontrances [5] qu'on lui peut faire, et traite de billevesées* tout ce que nous croyons. Tu me dis qu'il a épousé ta maîtresse, crois qu'il aurait plus fait pour sa passion, et qu'avec elle il aurait encore épousé toi, son chien, et son chat. Un mariage ne lui coûte rien à contracter, il ne se sert point d'autres pièges pour attraper les belles, et c'est un épouseur à toutes mains* ; dame, demoiselle, bourgeoise, paysanne, il ne trouve rien de trop chaud, ni de trop froid pour lui ; et si je te disais le nom de toutes celles qu'il a épousées en divers lieux, ce serait un chapitre à durer jusques au soir. Tu demeures surpris, et changes de couleur à ce discours ; ce n'est là qu'une ébauche du personnage, et pour en achever le portrait, il faudrait bien d'autres coups de pinceau. Suffit qu'il faut que le courroux du Ciel l'accable quelque jour ; qu'il me vaudrait

---

1. L'édition hollandaise de 1683, plus hardie, donne ici « qui ne croit ni Ciel, ni saint, ni Dieu ».
2 Le *loup-garou*, ou lycanthrope, est un homme qui se transforme en loup, « esprit dangereux et malin qui court les champs ou les rues la nuit » (*Dictionnaire* de Furetière). On voit comme Sganarelle mélange la superstition (le loup-garou) et la foi (le Ciel, l'Enfer).
3. Le philosophe grec *Épicure* (341-271 avant notre ère) fut le fondateur d'une école de pensée que l'on prétendait tournée uniquement vers la recherche du plaisir : pour cette raison, on traitait ses disciples de *pourceaux*, c'est-à-dire de porcs
4. *Sardanapale* : roi légendaire d'Assyrie qui aurait vécu au temps de la naissance de Rome, resté célèbre pour sa vie de débauche.
5. L'édition hollandaise précise : « toutes les remontrances chrétiennes ».

bien mieux d'être au Diable, que d'être à lui, et qu'il me fait voir tant d'horreurs, que je souhaiterais qu'il fût déjà je ne sais où ; mais un grand seigneur méchant homme est une terrible chose ; il faut que je lui sois fidèle en dépit que j'en aie [1], la crainte en moi fait l'office du zèle [2], bride mes sentiments, et me réduit d'applaudir bien souvent à ce que mon âme déteste. Le voilà qui vient se promener dans ce palais, séparons-nous ; écoute, au moins, je t'ai fait cette confidence avec franchise, et cela m'est sorti un peu bien vite de la bouche ; mais s'il fallait qu'il en vînt quelque chose à ses oreilles, je dirais hautement que tu aurais menti.

Scène II
DOM JUAN, SGANARELLE

DOM JUAN. – Quel homme te parlait là, il a bien de l'air, ce me semble, du bon Gusman de Done Elvire ?

SGANARELLE. – C'est quelque chose aussi à peu près de cela.

DOM JUAN. – Quoi, c'est lui ?

SGANARELLE. – Lui-même.

DOM JUAN. – Et depuis quand est-il en cette ville ?

SGANARELLE. – D'hier au soir.

DOM JUAN. – Et quel sujet l'amène ?

SGANARELLE. – Je crois que vous jugez assez ce qui le peut inquiéter.

DOM JUAN. – Notre départ, sans doute ?

SGANARELLE. – Le bonhomme en est tout mortifié, et m'en demandait le sujet.

DOM JUAN. – Et quelle réponse as-tu faite ?

SGANARELLE. – Que vous ne m'en aviez rien dit.

DOM JUAN. – Mais encore, quelle est ta pensée là-dessus, que t'imagines-tu de cette affaire ?

SGANARELLE. – Moi, je crois sans vous faire tort que vous avez quelque nouvel amour en tête.

---

1. *En dépit que j'en aie* : malgré moi.
2. *La crainte en moi fait l'office du zèle.* Il faut comprendre : c'est la crainte, et non le dévouement (*zèle*) qui me forcent à lui obéir.

DOM JUAN. – Tu le crois ?

SGANARELLE. – Oui.

DOM JUAN. – Ma foi, tu ne te trompes pas, et je dois t'avouer qu'un autre objet* a chassé Elvire de ma pensée.

SGANARELLE. – Eh, mon Dieu, je sais mon Dom Juan sur le bout du doigt, et connais votre cœur pour le plus grand coureur du monde ; il se plaît à se promener de liens en liens*, et n'aime guère à demeurer en place.

DOM JUAN. – Et ne trouves-tu pas, dis-moi, que j'ai raison d'en user de la sorte ?

SGANARELLE. – Eh, Monsieur.

DOM JUAN. – Quoi ? Parle.

SGANARELLE. – Assurément que vous avez raison, si vous le voulez, on ne peut pas aller là contre ; mais si vous ne le vouliez pas, ce serait peut-être une autre affaire.

DOM JUAN. – Eh bien, je te donne la liberté de parler, et de me dire tes sentiments.

SGANARELLE. – En ce cas, Monsieur, je vous dirai franchement que je n'approuve point votre méthode, et que je trouve fort vilain d'aimer de tous côtés comme vous faites.

DOM JUAN. – Quoi ? tu veux qu'on se lie à demeurer au premier objet* qui nous prend, qu'on renonce au monde pour lui, et qu'on n'ait plus d'yeux pour personne ? La belle chose de vouloir se piquer d'un faux honneur d'être fidèle, de s'ensevelir pour toujours dans une passion, et d'être mort dès sa jeunesse à toutes les autres beautés qui nous peuvent frapper les yeux : non, non, la constance n'est bonne que pour des ridicules, toutes les belles ont droit de nous charmer, et l'avantage d'être rencontrée la première ne doit point dérober aux autres les justes prétentions qu'elles ont toutes sur nos cœurs. Pour moi, la beauté me ravit partout où je la trouve ; et je cède facilement à cette douce violence dont elle nous entraîne ; j'ai beau être engagé*, l'amour que j'ai pour une belle n'engage point mon âme à faire injustice aux autres ; je conserve des yeux pour voir le mérite de toutes, et rends à chacune les hommages, et les tributs* où [1] la nature nous oblige. Quoi qu'il en soit, je ne puis refuser mon cœur à tout ce que je vois d'aimable, et dès qu'un beau visage me le demande, si j'en avais dix mille, je les donnerais tous. Les inclinations naissantes, après tout, ont des charmes inexplicables, et tout le plaisir de l'amour est dans le changement. On goûte une douceur extrême à réduire* par cent hommages le cœur d'une jeune beauté, à voir de jour en jour les petits progrès qu'on y fait ; à combattre par des transports*, par des larmes, et des soupirs, l'innocente pudeur d'une âme qui a peine à rendre les armes [2], à forcer pied à pied toutes les petites résistances qu'elle nous oppose, à vaincre les scrupules dont elle se fait un honneur, et la mener doucement où nous avons envie de la faire venir. Mais lorsqu'on en est maître une fois, il n'y a plus rien à dire, ni rien à souhaiter, tout le beau de la passion est fini, et nous nous endormons dans la tranquillité d'un tel amour, si quelque objet* nouveau ne vient réveiller nos désirs, et présenter à notre cœur les charmes attrayants d'une conquête à faire. Enfin, il n'est rien de si doux, que de triompher de la résistance d'une belle personne ; et j'ai sur ce sujet l'ambition des conquérants, qui volent perpétuellement de victoire en victoire, et ne peuvent se résoudre à borner leurs souhaits. Il n'est rien qui puisse arrêter l'impétuosité de mes désirs, je me sens un cœur à aimer toute la terre ; et comme Alexandre [3], je souhaiterais qu'il y eût d'autres mondes, pour y pouvoir étendre mes conquêtes amoureuses.

SGANARELLE. – Vertu de ma vie, comme vous débitez* ; il semble que vous avez appris cela par cœur, et vous parlez tout comme un livre.

---

1 *Où* : auxquels.

2. *À rendre les armes* : à cesser de résister, à capituler. Dom Juan recourt au vocabulaire militaire pour parler de ses entreprises de séduction : c'est que l'amour, dans cette tirade, est présenté comme une perpétuelle conquête – parallèle qui aboutit à la comparaison finale avec Alexandre.

3. *Alexandre* le Grand, empereur grec (356-323 avant notre ère) incarnant un appétit illimité de conquête. C'est au poète latin Juvénal (*Satires*, X) que l'on doit la réflexion dont s'inspire ici Molière : « Une seule terre ne suffit pas à Alexandre ; il étouffe, le malheureux, dans l'étroite limite de l'univers. »

DOM JUAN. – Qu'as-tu à dire là-dessus ?

SGANARELLE. – Ma foi, j'ai à dire... je ne sais que dire ; car vous tournez les choses d'une manière, qu'il semble que vous avez raison, et cependant il est vrai que vous ne l'avez pas. J'avais les plus belles pensées du monde, et vos discours m'ont brouillé tout cela ; laissez faire, une autre fois je mettrai mes raisonnements par écrit, pour disputer* avec vous.

DOM JUAN. – Tu feras bien.

SGANARELLE. – Mais, Monsieur, cela serait-il de la permission que vous m'avez donnée, si je vous disais que je suis tant soit peu scandalisé de la vie que vous menez ?

DOM JUAN. – Comment, quelle vie est-ce que je mène ?

SGANARELLE. – Fort bonne. Mais par exemple de vous voir tous les mois vous marier comme vous faites...

DOM JUAN. – Y a-t-il rien de plus agréable ?

SGANARELLE. – Il est vrai, je conçois que cela est fort agréable, et fort divertissant, et je m'en accommoderais assez, moi, s'il n'y avait point de mal, mais, Monsieur, se jouer ainsi d'un mystère sacré [1], et...

DOM JUAN. – Va, va, c'est une affaire entre le Ciel et moi, et nous la démêlerons bien ensemble, sans que tu t'en mettes en peine.

SGANARELLE. – Ma foi, Monsieur, j'ai toujours ouï dire que c'est une méchante raillerie que de se railler du Ciel, et que les libertins* ne font jamais une bonne fin.

DOM JUAN. – Holà, maître sot, vous savez que je vous ai dit que je n'aime pas les faiseurs de remontrances.

SGANARELLE. – Je ne parle pas aussi à vous, Dieu m'en garde, vous savez ce que vous faites, vous, et si vous ne croyez rien, vous avez vos raisons ; mais il y a de certains petits impertinents dans le monde, qui sont libertins* sans savoir pourquoi, qui font les esprits* forts, parce qu'ils croient que cela leur sied bien ; et si j'avais un maître comme cela, je lui dirais fort nettement, le regardant en face : Osez-vous bien ainsi vous jouer* au Ciel, et ne tremblez-vous point de vous moquer comme vous faites

---

1. *Mystère sacré* désigne le mariage, avec une nuance de respect, puisqu'il s'agit d'un des sacrements de l'Église.

des choses les plus saintes ? C'est bien à vous, petit ver de terre, petit mirmidon* que vous êtes (je parle au maître que j'ai dit), c'est bien à vous à vouloir vous mêler de tourner en raillerie ce que tous les hommes révèrent. Pensez-vous que pour être de qualité*, pour avoir une perruque blonde, et bien frisée, des plumes à votre chapeau, un habit bien doré, et des rubans couleur de feu (ce n'est pas à vous que je parle, c'est à l'autre) ; pensez-vous, dis-je, que vous en soyez plus habile homme, que tout vous soit permis, et qu'on n'ose vous dire vos vérités ? Apprenez de moi, qui suis votre valet, que le Ciel punit tôt ou tard les impies, qu'une méchante vie amène une méchante mort, et que...

Dom Juan. – Paix.

Sganarelle. – De quoi est-il question ?

Dom Juan. – Il est question de te dire qu'une beauté me tient au cœur, et qu'entraîné par ses appas*, je l'ai suivie jusques en cette ville.

Sganarelle. – Et ne craignez-vous rien, Monsieur, de la mort de ce Commandeur* que vous tuâtes il y a six mois ?

Dom Juan. – Et pourquoi craindre, ne l'ai-je pas bien tué ?

Sganarelle. – Fort bien, le mieux du monde, et il aurait tort de se plaindre.

Dom Juan. – J'ai eu ma grâce de cette affaire [1].

Sganarelle. – Oui, mais cette grâce n'éteint pas peut-être le ressentiment des parents et des amis, et...

Dom Juan. – Ah ! n'allons point songer au mal qui nous peut arriver, et songeons seulement à ce qui nous peut donner du plaisir. La personne dont je te parle est une jeune fiancée, la plus agréable du monde, qui a été conduite ici par celui même qu'elle y vient épouser ; et le hasard me fit voir ce couple d'amants, trois ou quatre jours avant leur voyage. Jamais je n'ai vu deux personnes être si contents l'un de l'autre, et faire éclater plus d'amour. La tendresse visible de leurs mutuelles ardeurs

---

1. Ces quatre répliques jouent sur une équivoque ironique : Dom Juan a *bien* tué le Commandeur, parce qu'il l'a tué selon les règles du duel ; il ne se sent donc pas coupable d'homicide, puisque l'on a levé la sanction qui pesait sur lui : il a obtenu sa *grâce*.

me donna de l'émotion ; j'en fus frappé au cœur, et mon amour commença par la jalousie. Oui, je ne pus souffrir d'abord* de les voir si bien ensemble, le dépit alarma* mes désirs, et je me figurai un plaisir extrême, à pouvoir troubler leur intelligence*, et rompre cet attachement, dont la délicatesse de mon cœur se tenait offensée ; mais jusques ici tous mes efforts ont été inutiles, et j'ai recours au dernier remède. Cet époux prétendu* doit aujourd'hui régaler sa maîtresse d'une promenade sur mer. Sans t'en avoir rien dit, toutes choses sont préparées pour satisfaire mon amour, et j'ai une petite barque, et des gens, avec quoi fort facilement je prétends enlever la belle.

SGANARELLE. – Ha ! Monsieur...

DOM JUAN. – Hein ?

SGANARELLE. – C'est fort bien à vous, et vous le prenez comme il faut, il n'est rien tel en ce monde, que de se contenter.

DOM JUAN. – Prépare-toi donc à venir avec moi, et prends soin toi-même d'apporter toutes mes armes, afin que... *(Il aperçoit Done Elvire)* Ah ! rencontre fâcheuse. Traître, tu ne m'avais pas dit qu'elle était ici elle-même.

SGANARELLE. – Monsieur, vous ne me l'avez pas demandé.

DOM JUAN. – Est-elle folle de n'avoir pas changé d'habit, et de venir en ce lieu-ci, avec son équipage de campagne [1] ?

Scène III
DONE ELVIRE, DOM JUAN, SGANARELLE

DONE ELVIRE. – Me ferez-vous la grâce, Dom Juan, de vouloir bien me reconnaître, et puis-je au moins espérer que vous daigniez tourner le visage de ce côté ?

DOM JUAN. – Madame, je vous avoue que je suis surpris, et que je ne vous attendais pas ici.

---

1. Elvire vient d'arriver dans le palais où se déroule ce premier acte sans s'être changée après son voyage (l'*équipage* désigne la tenue vestimentaire) ; ce qui, dès son entrée en scène, traduit sa précipitation, son emportement

DONE ELVIRE. – Oui, je vois bien que vous ne m'y attendiez pas, et vous êtes surpris, à la vérité, mais tout autrement que je ne l'espérais, et la manière dont vous le paraissez me persuade pleinement ce que je refusais de croire. J'admire ma simplicité [1], et la faiblesse de mon cœur, à douter d'une trahison, que tant d'apparences me confirmaient. J'ai été assez bonne, je le confesse, ou plutôt assez sotte, pour me vouloir tromper moi-même, et travailler à démentir mes yeux et mon jugement. J'ai cherché des raisons, pour excuser à ma tendresse le relâchement d'amitié qu'elle voyait en vous [2] ; et je me suis forgé* exprès cent sujets légitimes d'un départ si précipité, pour vous justifier* du crime dont ma raison vous accusait. Mes justes soupçons chaque jour avaient beau me parler, j'en rejetais la voix qui vous rendait criminel à mes yeux, et j'écoutais avec plaisir mille chimères ridicules, qui vous peignaient innocent à mon cœur ; mais enfin cet abord* ne me permet plus de douter, et le coup d'œil qui m'a reçue m'apprend bien plus de choses que je ne voudrais en savoir. Je serai bien aise pourtant d'ouïr de votre bouche les raisons de votre départ. Parlez, Dom Juan, je vous prie ; et voyons de quel air vous saurez vous justifier.

DOM JUAN. – Madame, voilà Sganarelle, qui sait pourquoi je suis parti.

SGANARELLE. – Moi, Monsieur ? Je n'en sais rien, s'il vous plaît.

DONE ELVIRE. – Hé bien, Sganarelle, parlez, il n'importe de quelle bouche j'entende ses raisons.

DOM JUAN, *faisant signe d'approcher à Sganarelle*. – Allons, parle donc à Madame.

SGANARELLE. – Que voulez-vous que je dise ?

DONE ELVIRE. – Approchez, puisqu'on le veut ainsi, et me dites un peu les causes d'un départ si prompt.

DOM JUAN. – Tu ne répondras pas ?

---

1. *J'admire ma simplicité* : je m'étonne de ma naïveté.
2. Il faut comprendre cette phrase ainsi : « J'ai cherché des raisons pour que mon amour puisse excuser la négligence de votre affection ». Elvire use d'un vocabulaire et de tournures qui portent la marque d'un style galant et raffiné

SGANARELLE. — Je n'ai rien à répondre, vous vous moquez de votre serviteur.

DOM JUAN. — Veux-tu répondre, te dis-je ?

SGANARELLE. — Madame...

DONE ELVIRE. — Quoi ?

SGANARELLE, *se retournant vers son maître*. — Monsieur...

DOM JUAN, *en le menaçant*. — Si...

SGANARELLE. — Madame, les conquérants, Alexandre, et les autres mondes sont causes de notre départ ; voilà, Monsieur, tout ce que je puis dire.

DONE ELVIRE. — Vous plaît-il, Dom Juan, nous éclaircir ces beaux mystères ?

DOM JUAN. — Madame, à vous dire la vérité...

DONE ELVIRE. — Ah, que vous savez mal vous défendre pour un homme de cour, et qui doit être accoutumé à ces sortes de choses ! J'ai pitié de vous voir la confusion que vous avez. Que ne vous armez-vous le front d'une noble effronterie ? Que ne me jurez-vous que vous êtes toujours dans les mêmes sentiments pour moi, que vous m'aimez toujours avec une ardeur sans égale, et que rien n'est capable de vous détacher de moi que la mort ! Que ne me dites-vous que des affaires de la dernière conséquence* vous ont obligé à partir sans m'en donner avis, qu'il faut que malgré vous vous demeuriez ici quelque temps, et que je n'ai qu'à m'en retourner d'où je viens, assurée que vous suivrez mes pas le plus tôt qu'il vous sera possible : qu'il est certain que vous brûlez de me rejoindre, et qu'éloigné de moi, vous souffrez ce que souffre un corps qui est séparé de son âme. Voilà comme il faut vous défendre, et non pas être interdit comme vous êtes.

DOM JUAN. — Je vous avoue, Madame, que je n'ai point le talent de dissimuler, et que je porte un cœur sincère. Je ne vous dirai point que je suis toujours dans les mêmes sentiments pour vous, et que je brûle de vous rejoindre, puisque enfin il est assuré que je ne suis parti que pour vous fuir ; non point par les raisons que vous pouvez vous figurer, mais par un pur motif de conscience, et pour ne croire pas qu'avec vous davantage je puisse vivre sans péché. Il m'est venu des scrupules, Madame, et j'ai ouvert les yeux de l'âme sur ce que je faisais. J'ai fait réflexion que pour vous épouser, je vous ai dérobée à la clôture d'un couvent, que vous avez rompu des vœux qui vous engageaient autre part, et que le Ciel est fort jaloux de ces sortes de choses. Le repentir m'a pris, et j'ai craint le courroux céleste. J'ai cru que notre mariage n'était qu'un adultère déguisé, qu'il nous attirerait quelque disgrâce d'en haut, et qu'enfin je devais tâcher de vous oublier, et vous donner moyen de retourner à vos premières chaînes. Voudriez-vous, Madame, vous opposer à une si sainte pensée [1], et que j'allasse, en vous retenant, me mettre le Ciel sur les bras, que par...

DONE ELVIRE. – Ah ! scélérat, c'est maintenant que je te connais tout entier, et pour mon malheur, je te connais lorsqu'il n'en est plus temps, et qu'une telle connaissance ne peut plus me servir qu'à me désespérer ; mais sache que ton crime ne demeurera pas impuni ; et que le même Ciel dont tu te joues me saura venger de ta perfidie.

DOM JUAN. – Sganarelle, le Ciel !

SGANARELLE. – Vraiment oui, nous nous moquons bien de cela, nous autres.

DOM JUAN. – Madame...

DONE ELVIRE. – Il suffit, je n'en veux pas ouïr davantage, et je m'accuse même d'en avoir trop entendu. C'est une lâcheté que de se faire expliquer trop sa honte ; et sur de tels sujets, un noble cœur au premier mot doit prendre son parti. N'attends pas que j'éclate ici en reproches et en injures, non, non, je n'ai point un courroux à exhaler en paroles vaines, et toute sa chaleur se réserve pour sa vengeance. Je te le dis encore, le Ciel te punira, perfide, de l'outrage que tu me fais, et si le Ciel

---

1 Il faut bien mesurer l'hypocrisie, et l'ironie, de l'excuse avancée par Dom Juan : elle se manifeste par l'importance du vocabulaire religieux dans toute la tirade. Dom Juan feint d'avoir abandonné Elvire par repentir (*par un pur motif de conscience*), en comprenant enfin la portée de son geste (*j'ai ouvert les yeux de l'âme sur ce que je faisais*) : Il avait en effet commis un sacrilège en l'enlevant de l'enceinte sacrée d'un cloître (*la clôture d'un couvent*) et en l'épousant alors qu'elle s'était vouée au Christ (*vous avez rompu des vœux qui vous engageaient autre part*), commettant ainsi une sorte d'*adultère déguisé* . On voit bien, ainsi, que la conduite de Dom Juan n'a été motivée que par une *sainte pensée* !

n'a rien que tu puisses appréhender, appréhende du moins
la colère d'une femme offensée.

SGANARELLE. – Si le remords le pouvait prendre.

DOM JUAN, *après une petite réflexion.* – Allons songer
à l'exécution de notre entreprise amoureuse.

SGANARELLE. – Ah, quel abominable maître me vois-
je obligé de servir !

ACTE II [1]

Scène première
CHARLOTTE, PIERROT

CHARLOTTE. – Nostre-dinse [2], Piarrot, tu t'es trouvé là bien à point.

PIERROT. – Parquienne, il ne s'en est pas fallu l'épaisseur d'une éplinque qu'ils ne se sayant nayés tous deux.

CHARLOTTE. – C'est donc le coup de vent da matin qui les avait renvarsés dans la mar ?

PIERROT. – Aga, guien [3], Charlotte, je m'en vas te conter tout fin drait* comme cela est venu : car, comme dit l'autre, je les ai le premier avisés, avisés le premier je les ai. Enfin donc, j'étions sur le bord de la mar, moi et le gros Lucas, et je nous amusions à batifoler avec des mottes de tarre que je nous jesquions à la tête : car comme tu sais bian, le gros Lucas aime à batifoler, et moi par fouas je batifole itou. En batifolant donc, pisque batifoler y a, j'ai aparçu de tout loin queuque chose qui grouillait dans gliau, et qui venait comme envars nous par secousse. Je voyais cela fixiblement*, et pis tout d'un coup je voyais que je ne voyais plus rien. Eh, Lucas,

1. Durant le deuxième acte, le théâtre représente un hameau de verdure, avec une grotte au travers de laquelle on voit la mer : un paysage de campagne en bord de mer, donc.
2. Pour toute cette scène où Molière imite le jargon et l'accent des paysans, il est conseillé de se reporter au Dossier, p. 163-168 : on y trouvera un inventaire des jurons qui émaillent le texte, ainsi que des remarques générales sur les caractéristiques de ce jargon. Invitons enfin le lecteur à lire le texte *à voix haute* : sa compréhension et la pleine appréciation de ses effets comiques en seront facilitées
3. *Aga, guien* : regarde, tiens

ç'ai-je fait, je pense que vlà des hommes qui nageant là-
bas. – Voire, ce m'a-t-il fait, t'as été au trépassement*
d'un chat, t'as la vue trouble. – Palsanquienne, ç'ai-je
fait, je n'ai point la vue trouble, ce sont des hommes. –
Point du tout, ce m'a-t-il fait, t'as la barlue*. – Veux-tu
gager, ç'ai-je fait, que je n'ai point la barlue, ç'ai-je fait,
et que ce sont deux hommes, ç'ai-je fait, qui nageant droit
ici, ç'ai-je fait. – Morquenne, ce m'a-t-il fait, je gage que
non. – O ça, ç'ai-je fait, veux-tu gager dix sols que si ?
– Je le veux bian, ce m'a-t-il fait, et pour te montrer, vlà
argent su jeu, ce m'a-t-il fait. Moi, je n'ai point été ni
fou, ni étourdi, j'ai bravement bouté* à tarre quatre pièces
tapées, et cinq sols en doubles [1], jergniguenne, aussi har-
diment que si j'avais avalé un varre de vin : car je ses
hasardeux*, moi, et je vas à la débandade*. Je savais bian
ce que je faisais pourtant, queuque gniais [2] ! Enfin donc,
je n'avons pas putôt eu gagé que j'avons vu les deux
hommes tout à plain* qui nous faisiant signe de les aller
quérir, et moi de tirer auparavant les enjeux. Allons,
Lucas, ç'ai-je dit, tu vois bian qu'ils nous appelont :
allons vite à leu secours. – Non, ce m'a-t-il dit, ils m'ont
fait pardre. O donc, tanquia, qu'à la parfin [3] pour le faire
court, je l'ai tant sarmonné, que je nous sommes boutés
dans une barque, et pis j'avons tant fait cahin, caha, que
je les avons tirés de gliau, et pis je les avons menés cheux
nous auprès du feu, et pis ils se sant dépouillés tous nus
pour se sécher, et pis il y en est venu encore deux de la
même bande qui s'équiant sauvés tout seuls, et pis
Mathurine est arrivée là, à qui l'en a fait les doux yeux,
vlà justement, Charlotte, comme tout ça s'est fait.

---

1. *Pièces tapées* : sols marqués d'une fleur de lys, dont la valeur est
augmentée d'un quart ; Pierrot engage donc ici cinq sols, soit la moitié
de l'enjeu du pari, et complète avec de la petite monnaie (les *doubles*)
pour l'autre moitié : il faut trente doubles pour faire cinq sols. Pour
avoir une idée de l'enjeu du pari, il faut savoir qu'au milieu du
XVIIᵉ siècle, un pain de quatre livres valait quatre sols et qu'un ouvrier
était payé huit sols par jour.
2. *Queuque gniais*. Expression elliptique : un imbécile (*quelque niais*)
n'en aurait pas fait autant.
3. *Tanquia, qu'à la parfin* : si bien que, finalement, ...

CHARLOTTE. – Ne m'as-tu pas dit, Piarrot, qu'il y en a un qu'est bien pus mieux fait que les autres ?

PIERROT. – Oui, c'est le maître. Il faut que ce soit queuque gros gros Monsieur, car il a du dor [1] à son habit tout depis le haut jusqu'en bas, et ceux qui le servont sont des Monsieux eux-mêmes, et stapandant, tout gros Monsieur qu'il est, il serait, par ma fique, nayé, si je naviomme esté là.

CHARLOTTE. – Ardez un peu.

PIERROT. – O parquenne, sans nous, il en avait pour sa maine* de fèves.

CHARLOTTE. – Est-il encore cheux toi tout nu, Piarrot ?

PIERROT. – Nannain, ils l'avont rhabillé tout devant nous. Mon quieu, je n'en avais jamais vu s'habiller, que d'histoires et d'angigorniaux [2] boutont ces Messieus-là les courtisans. Je me pardrais là-dedans pour moi, et j'étais tout ébobi de voir ça. Quien, Charlotte, ils avont des cheveux qui ne tenont point à leu tête, et ils boutont ça après tout comme un gros bonnet de filasse [3]. Ils ant des chemises qui ant des manches où j'entrerions tout brandis* toi et moi. En glieu d'haut-de-chausse, ils portont un garderobe [4] aussi large que d'ici à Pâques, en glieu de pourpoint, de petites brassières, qui ne leu venont pas usqu'au brichet [5], et en glieu de rabats un grand mouchoir de cou à réziau [6] aveuc quatre grosses houppes de linge qui leu pendont sur l'estomaque. Ils avont itou

---

1. Comprendre : son habit est doré de haut en bas. Tout ce qui suit nous donne de précieuses informations sur le costume porté par le personnage de Dom Juan – costume caractéristique du « petit marquis » élégant, attentif aux dernières modes de Paris...

2. *Angigorniaux* : ornements compliqués, accessoires de costume.

3. Pierrot décrit ainsi la perruque de Dom Juan...

4 Le *haut-de-chausse* est la partie de l'habit qui va de la taille aux genoux ; il est si ample, dans le costume de Dom Juan, qu'il ressemble à un tablier (*garderobe*).

5. Le *pourpoint* est la partie de l'habit qui va du cou à la ceinture ; Dom Juan lui porte une sorte de chemise courte (la *brassière* est une chemise de femme) qui descend seulement jusqu'au sternum (*bréchet*).

6. Ce *mouchoir* est un grand collet de dentelle (*réseau*) garni de houppes, qui prend la place du *rabat* que l'on trouve sur des costumes moins ornés – linge uni qu'on attache au cou du pourpoint.

d'autres petits rabats au bout des bras, et de grands entonnois [1] de passement aux jambes, et parmi tout ça tant de
rubans, tant de rubans, que c'est une vraye piquié. Ignia
pas jusqu'au soulier qui n'en soyont farcis tout depis un
bout jusqu'à l'autre, et ils sont faits d'eune façon que je
me romprais le cou aveuc.

CHARLOTTE. – Par ma fi, Piarrot, il faut que j'aille voir
un peu ça.

PIERROT. – O acoute un peu auparavant, Charlotte, j'ai
queuque autre chose à te dire, moi.

CHARLOTTE. – Eh bian, dis, qu'est-ce que c'est.

PIERROT. – Vois-tu, Charlotte, il faut, comme dit
l'autre, que je débonde mon cœur. Je t'aime, tu le sais
bian, et je sommes pour être mariés ensemble [2], mais marquenne, je ne suis point satisfait de toi.

CHARLOTTE. – Quement ? qu'est-ce que c'est donc
qu'iglia ?

PIERROT. – Iglia que tu me chagraignes l'esprit, franchement.

CHARLOTTE. – Et quement donc ?

PIERROT. – Testiguienne, tu ne m'aimes point.

CHARLOTTE. – Ah ah, n'est que ça ?

PIERROT. – Oui, ce n'est que ça, et c'est bian assez.

CHARLOTTE. – Mon quieu, Piarrot, tu me viens toujou
dire la même chose.

PIERROT. – Je te dis toujou la même chose, parce que
c'est toujou la même chose, et si ce n'était pas toujou la
même chose, je ne te dirais pas toujou la même chose.

CHARLOTTE. – Mais qu'est-ce qu'il te faut ? Que veux-
tu ?

PIERROT. – Jerniquenne, je veux que tu m'aimes.

CHARLOTTE. – Est-ce que je ne t'aime pas ?

PIERROT. – Non, tu ne m'aimes pas, et si [3] je fais tout
ce que je pis pour ça. Je t'achète sans reproche des rubans

---

1. Ces *entonnoirs* sont ce que l'on appelait des « canons » de dentelle
– « ornement attaché au bas de la culotte [c'est-à-dire au-dessous du
genou], froncé et embelli de rubans, ou d'autres choses », selon le *Dictionnaire* de Richelet.
2. *Je sommes pour être mariés ensemble* : je voudrais que nous nous
mariions, toi et moi
3. *Et si* : et pourtant.

à tous les marciers* qui passont, je me romps le cou à t'aller dénicher des marles, je fais jouer pour toi les vielleux* quand ce vient ta fête, et tout ça comme si je me frappais la tête contre un mur. Vois-tu, ça n'est ni biau ni honnête de n'aimer pas les gens qui nous aimont.

CHARLOTTE. – Mais, mon gnieu, je t'aime aussi.

PIERROT. – Oui, tu m'aimes d'une belle dégaine*.

CHARLOTTE. – Quement veux-tu donc qu'on fasse ?

PIERROT. – Je veux que l'en fasse comme l'en fait quand l'en aime comme il faut.

CHARLOTTE. – Ne t'aimé-je pas aussi comme il faut ?

PIERROT. – Non, quand ça est, ça se voit, et l'en fait mille petites singeries aux personnes quand on les aime du bon du cœur. Regarde la grosse Thomasse comme elle est assotée* du jeune Robain, alle est toujou autour de li à l'agacer, et ne le laisse jamais en repos. Toujou al li fait queuque niche, ou li baille* queuque taloche en passant, et l'autre jour qu'il était assis sur un escabiau, al fut le tirer de dessous li, et le fit choir tout de son long par tarre. Jarni, vlà où l'en voit les gens qui aimont, mais toi, tu ne me dis jamais mot, t'es toujou là comme eune vraie souche de bois, et je passerais vingt fois devant toi que tu ne te grouillerais pas pour me bailler* le moindre coup, ou me dire la moindre chose. Ventrequenne, ça n'est pas bian, après tout, et t'es trop froide pour les gens.

CHARLOTTE. – Que veux-tu que j'y fasse ? C'est mon himeur, et je ne me pis refondre.

PIERROT. – Ignia himeur qui quienne, quand en a de l'amiquié* pour les personnes, l'an en baille* toujou queuque petite signifiance*.

CHARLOTTE. – Enfin, je t'aime tout autant que je pis, et si tu n'es pas content de ça, tu n'as qu'à en aimer queuque autre.

PIERROT. – Eh bien, vlà pas mon compte ? Testigué, si tu m'aimais, me dirais-tu ça ?

CHARLOTTE. – Pourquoi me viens-tu aussi tarabuster l'esprit ?

PIERROT. – Morqué, queu mal te fais-je ? Je ne te demande qu'un peu d'amiquié.

CHARLOTTE. – Eh bian, laisse faire aussi, et ne me presse point tant, peut-être que ça viendra tout d'un coup sans y songer.

PIERROT. – Touche donc là [1], Charlotte.

CHARLOTTE. – Eien [2], quien.

PIERROT. – Promets-moi donc que tu tâcheras de m'aimer davantage.

CHARLOTTE. – J'y ferai tout ce que je pourrai, mais il faut que ça vienne de lui-même. Piarrot, est-ce là ce Monsieur ?

PIERROT. – Oui, le vlà.

CHARLOTTE. – Ah ! mon quieu, qu'il est genti*, et que ç'aurait été dommage qu'il eût été nayé.

PIERROT. – Je revians tout à l'heure*, je m'en vas boire chopaine* pour me rebouter* tant soit peu de la fatigue que j'ais eue.

Scène II
Dom Juan, Sganarelle, Charlotte

DOM JUAN. – Nous avons manqué notre coup, Sganarelle, et cette bourrasque imprévue a renversé avec notre barque le projet que nous avions fait ; mais à te dire vrai, la paysanne que je viens de quitter répare ce malheur, et je lui ai trouvé des charmes qui effacent de mon esprit tout le chagrin que me donnait le mauvais succès* de notre entreprise. Il ne faut pas que ce cœur m'échappe, et j'y ai déjà jeté des dispositions à ne pas me souffrir longtemps de pousser des soupirs [3].

SGANARELLE. – Monsieur, j'avoue que vous m'étonnez ; à peine sommes-nous échappé d'un péril de mort, qu'au lieu de rendre grâce au Ciel de la pitié qu'il a daigné prendre de nous, vous travaillez tout de nouveau à attirer sa colère par vos fantaisies accoutumées, et vos

---

1 *Touche-là* marque l'accord : « parce qu'on a coutume de se toucher dans la main pour conclure un marché, ou en signe de bienveillance » précise le *Dictionnaire* de Furetière.

2. *Eien* : eh bien.

3. Comprendre : j'ai déjà préparé le terrain (*jeté des dispositions*) pour n'avoir pas à attendre longtemps en soupirant.

amours cr... [1] Paix, coquin que vous êtes, vous ne savez ce que vous dites, et Monsieur sait ce qu'il fait, allons.

DOM JUAN, *apercevant Charlotte*. – Ah ah, d'où sort cette autre paysanne, Sganarelle ? As-tu rien vu de plus joli, et ne trouves-tu pas, dis-moi, que celle-ci vaut bien l'autre ?

SGANARELLE. – Assurément. Autre pièce nouvelle.

DOM JUAN. – D'où me vient, la belle, une rencontre si agréable ? Quoi, dans ces lieux champêtres, parmi ces arbres et ces rochers, on trouve des personnes faites comme vous êtes ?

CHARLOTTE. – Vous voyez, Monsieur.

DOM JUAN. – Êtes-vous de ce village ?

CHARLOTTE. – Oui, Monsieur.

DOM JUAN. – Et vous y demeurez ?

CHARLOTTE. – Oui, Monsieur.

DOM JUAN. – Vous vous appelez ?

CHARLOTTE. – Charlotte, pour vous servir.

DOM JUAN. – Ah ! la belle personne, et que ses yeux sont pénétrants !

CHARLOTTE. – Monsieur, vous me rendez toute honteuse*.

DOM JUAN. – Ah, n'ayez point de honte d'entendre dire vos vérités. Sganarelle, qu'en dis-tu ? Peut-on rien voir de plus agréable ? Tournez-vous un peu, s'il vous plaît, ah, que cette taille est jolie ! Haussez un peu la tête, de grâce, ah, que ce visage est mignon ! Ouvrez vos yeux entièrement, ah, qu'ils sont beaux ! Que je voie un peu vos dents, je vous prie, ah, qu'elles sont amoureuses ! et ces lèvres appétissantes ! Pour moi, je suis ravi, et je n'ai jamais vu une si charmante personne.

CHARLOTTE. – Monsieur, cela vous plaît à dire, et je ne sais pas si c'est pour vous railler de moi.

DOM JUAN. – Moi, me railler de vous ? Dieu m'en garde, je vous aime trop pour cela, et c'est du fond du cœur que je vous parle.

CHARLOTTE. – Je vous suis bien obligée, si ça est.

---

1. *Amours criminelles*, s'apprêtait sans doute à dire **Sganarelle** ; la phrase qui suit s'adresse à lui-même.

DOM JUAN. – Point du tout, vous ne m'êtes point obligée de tout ce que je dis, et ce n'est qu'à votre beauté que vous en êtes redevable.

CHARLOTTE. – Monsieur, tout ça est trop bien dit pour moi, et je n'ai pas d'esprit pour vous répondre.

DOM JUAN. – Sganarelle, regarde un peu ses mains.

CHARLOTTE. – Fi, Monsieur, elles sont noires comme je ne sais quoi.

DOM JUAN. – Ha, que dites-vous là, elles sont les plus belles du monde, souffrez que je les baise, je vous prie.

CHARLOTTE. – Monsieur, c'est trop d'honneur que vous me faites, et si j'avais su ça tantôt, je n'aurais pas manqué de les laver avec du son.

DOM JUAN. – Et dites-moi un peu, belle Charlotte, vous n'êtes pas mariée sans doute ?

CHARLOTTE. – Non, Monsieur, mais je dois bientôt l'être avec Piarrot, le fils de la voisine Simonette.

DOM JUAN. – Quoi, une personne comme vous serait la femme d'un simple paysan ? Non, non, c'est profaner tant de beautés, et vous n'êtes pas née pour demeurer dans un village, vous méritez sans doute* une meilleure fortune*, et le Ciel, qui le connaît bien, m'a conduit ici tout exprès pour empêcher ce mariage, et rendre justice à vos charmes : car enfin, belle Charlotte, je vous aime de tout mon cœur, et il ne tiendra qu'à vous que je vous arrache de ce misérable lieu, et ne vous mette dans l'état où vous méritez d'être ; cet amour est bien prompt sans doute ; mais quoi, c'est un effet, Charlotte, de votre grande beauté, et l'on vous aime autant en un quart d'heure, qu'on ferait une autre en six mois.

CHARLOTTE. – Aussi vrai, Monsieur, je ne sais comment faire quand vous parlez, ce que vous dites me fait aise, et j'aurais toutes les envies du monde de vous croire ; mais on m'a toujou dit qu'il ne faut jamais croire les Monsieux, et que vous autres courtisans êtes des enjôleus, qui ne songez qu'à abuser* les filles.

DOM JUAN. – Je ne suis pas de ces gens-là.

SGANARELLE. – Il n'a garde.

CHARLOTTE. – Voyez-vous, Monsieur, il n'y a pas plaisir à se laisser abuser*, je suis une pauvre paysanne, mais j'ai l'honneur en recommandation [1], et j'aimerais mieux me voir morte que de me voir déshonorée.

Dom Juan. – Moi, j'aurais l'âme assez méchante pour abuser* une personne comme vous, je serais assez lâche pour vous déshonorer ? Non, non, j'ai trop de conscience pour cela, je vous aime, Charlotte, en tout bien et en tout honneur, et pour vous montrer que je vous dis vrai, sachez que je n'ai point d'autre dessein que de vous épouser ; en voulez-vous un plus grand témoignage, m'y voilà prêt quand vous voudrez, et je prends à témoin l'homme que voilà de la parole que je vous donne.

Sganarelle. – Non, non, ne craignez point, il se mariera avec vous tant que vous voudrez.

Dom Juan. – Ah, Charlotte, je vois bien que vous ne me connaissez pas encore, vous me faites grand tort de juger de moi par les autres, et s'il y a des fourbes dans le monde, des gens qui ne cherchent qu'à abuser* des filles, vous devez me tirer du nombre, et ne pas mettre en doute la sincérité de ma foi [2], et puis votre beauté vous assure de tout. Quand on est faite comme vous, on doit être à couvert* de toutes ces sortes de crainte, vous n'avez point l'air, croyez-moi, d'une personne qu'on abuse*, et pour moi, je l'avoue, je me percerais le cœur de mille coups, si j'avais eu la moindre pensée de vous trahir.

Charlotte. – Mon Dieu, je ne sais si vous dites vrai ou non, mais vous faites que l'on vous croit.

Dom Juan. – Lorsque vous me croirez, vous me rendrez justice assurément, et je vous réitère encore la promesse que je vous ai faite, ne l'acceptez-vous pas ? Et ne voulez-vous pas consentir à être ma femme ?

Charlotte. – Oui, pourvu que ma tante le veuille.

Dom Juan. – Touchez donc là, Charlotte, puisque vous le voulez bien de votre part.

---

1. *J'ai l'honneur en recommandation* : j'attache beaucoup de prix à mon honneur
2. *De ma foi* : de ma parole, de ma promesse.

CHARLOTTE. – Mais au moins, Monsieur, ne m'allez pas tromper, je vous prie, il y aurait de la conscience à vous [1], et vous voyez comme j'y vais à la bonne foi*.

DOM JUAN. – Comment, il semble que vous doutiez encore de ma sincérité ? Voulez-vous que je fasse des serments épouvantables ? Que le Ciel...

CHARLOTTE. – Mon Dieu, ne jurez point, je vous crois.

DOM JUAN. – Donnez-moi donc un petit baiser pour gage de votre parole.

CHARLOTTE. – Oh, Monsieur, attendez que je soyons mariés, je vous prie, après ça je vous baiserai tant que vous voudrez.

DOM JUAN. – Eh bien, belle Charlotte, je veux tout ce que vous voulez, abandonnez-moi seulement votre main, et souffrez que par mille baisers je lui exprime le ravissement où je suis...

Scène III
DOM JUAN, SGANARELLE, PIERROT, CHARLOTTE

PIERROT, *se mettant entre deux et poussant Dom Juan.* – Tout doucement, Monsieur, tenez-vous, s'il vous plaît, vous vous échauffez trop, et vous pourriez gagner la purésie*.

DOM JUAN, *repoussant rudement Pierrot.* – Qui m'amène cet impertinent ?

PIERROT. – Je vous dis qu'ou vous tegniez, et qu'ou ne caressiais point nos accordées*.

DOM JUAN *continue de le repousser.* – Ah, que de bruit.

PIERROT. – Jerniquenne, ce n'est pas comme ça qu'il faut pousser les gens.

CHARLOTTE, *prenant Pierrot par le bras.* – Et laisse-le faire aussi, Piarrot.

PIERROT. – Quement, que je le laisse faire. Je ne veux pas, moi !

DOM JUAN. – Ah.

---

1. Comprendre : me tromper vous pèserait sur la conscience, serait pour vous un sujet de remords.

PIERROT. – Testiguenne, parce qu'ous êtes Monsieu, ous viendrez caresser nos femmes à notre barbe ? Allez-v's-en caresser les vôtres.

DOM JUAN. – Heu ?

PIERROT. – Heu. (*Dom Juan lui donne un soufflet.*) Testigué, ne me frappez pas, (*autre soufflet.*) Oh, jernigué, (*autre soufflet.*) Ventrequé, (*autre soufflet.*) Palsanqué, morquenne, ça n'est pas bian de battre les gens, et ce n'est pas là la récompense de v's avoir sauvé d'être nayé.

CHARLOTTE. – Piarrot, ne te fâche point.

PIERROT. – Je me veux fâcher, et t'es une vilaine, toi, d'endurer qu'on te cajole.

CHARLOTTE. – Oh, Piarrot, ce n'est pas ce que tu penses, ce Monsieur veut m'épouser, et tu ne dois pas te bouter en colère.

PIERROT. – Quement ? Jerni, tu m'es promise.

CHARLOTTE. – Ça n'y fait rien, Piarrot, si tu m'aimes, ne dois-tu pas être bien aise que je devienne Madame [1] ?

PIERROT. – Jerniqué, non, j'aime mieux te voir crevée que de te voir à un autre.

CHARLOTTE. – Va, va, Piarrot, ne te mets point en peine ; si je sis Madame, je te ferai gagner queuque chose, et tu apporteras du beurre et du fromage cheux nous.

PIERROT. – Ventrequenne, je gni en porterai jamais quand tu m'en paierais deux fois autant. Est-ce donc comme ça que t'écoutes ce qu'il te dit ? Morquenne, si j'avais su ça tantôt, je me serais bian gardé de le tirer de gliau, et je gli aurais baillé un bon coup d'aviron sur la tête.

DOM JUAN, *s'approchant de Pierrot pour le frapper.* – Qu'est-ce que vous dites ?

PIERROT, *s'éloignant derrière Charlotte.* – Jerniquenne, je ne crains parsonne.

DOM JUAN *passe du côté où est Pierrot.* – Attendez-moi un peu.

PIERROT *repasse de l'autre côté de Charlotte.* – Je me moque de tout, moi.

---

1. *Que je devienne Madame* : que je devienne une femme de qualité (en épousant un *Monsieur* de bonne naissance)

Dom Juan *court après Pierrot.* — Voyons cela.

Pierrot *se sauve encore derrière Charlotte.* — J'en avons bien vu d'autres.

Dom Juan. — Houais.

Sganarelle. — Eh, Monsieur, laissez là ce pauvre misérable. C'est conscience [1] de le battre. Écoute, mon pauvre garçon, retire-toi, et ne lui dis rien.

Pierrot *passe devant Sganarelle, et dit fièrement à Dom Juan.* — Je veux lui dire, moi.

Dom Juan *lève la main pour donner un soufflet à Pierrot, qui baisse la tête, et Sganarelle reçoit le soufflet.* — Ah, je vous apprendrai.

Sganarelle, *regardant Pierrot qui s'est baissé pour éviter le soufflet.* — Peste soit du maroufle*.

Dom Juan. — Te voilà payé de ta charité.

Pierrot. — Jarni, je vas dire à sa tante tout ce ménage*-ci.

Dom Juan. — Enfin, je m'en vais être le plus heureux de tous les hommes, et je ne changerais pas mon bonheur à [2] toutes les choses du monde. Que de plaisirs quand vous serez ma femme, et que...

Scène IV
Dom Juan, Sganarelle, Charlotte, Mathurine

Sganarelle, *apercevant Mathurine.* — Ah, ah.

Mathurine, *à Dom Juan.* — Monsieur, que faites-vous donc là avec Charlotte, est-ce que vous lui parlez d'amour aussi ?

Dom Juan, *à Mathurine.* — Non, au contraire, c'est elle qui me témoignait une envie d'être ma femme, et je lui répondais que j'étais engagé* à vous.

Charlotte. — Qu'est-ce que c'est donc que vous veut Mathurine ?

Dom Juan, *bas, à Charlotte.* — Elle est jalouse de me voir vous parler, et voudrait bien que je l'épousasse, mais je lui dis que c'est vous que je veux.

---

1. *C'est conscience* : cela vous pèsera sur la conscience, cela doit vous donner des scrupules.
2. *À* : contre.

MATHURINE. – Quoi, Charlotte...

DOM JUAN, *bas, à Mathurine*. – Tout ce que vous lui direz sera inutile, elle s'est mis cela dans la tête.

CHARLOTTE. – Quement donc Mathurine...

DOM JUAN, *bas, à Charlotte*. – C'est en vain que vous lui parlerez, vous ne lui ôterez point cette fantaisie*.

MATHURINE. – Est-ce que...

DOM JUAN, *bas, à Mathurine*. – Il n'y a pas moyen de lui faire entendre raison.

CHARLOTTE. – Je voudrais...

DOM JUAN, *bas, à Charlotte*. – Elle est obstinée comme tous les diables.

MATHURINE. – Vrament...

DOM JUAN, *bas, à Mathurine*. – Ne lui dites rien, c'est une folle.

CHARLOTTE. – Je pense...

DOM JUAN, *bas, à Charlotte*. – Laissez-la là, c'est une extravagante.

MATHURINE. – Non, non, il faut que je lui parle.

CHARLOTTE. – Je veux voir un peu ses raisons.

MATHURINE. – Quoi...

DOM JUAN, *bas, à Mathurine*. – Je gage qu'elle va vous dire que je lui ai promis de l'épouser.

CHARLOTTE. – Je...

DOM JUAN, *bas, à Charlotte*. – Gageons qu'elle vous soutiendra que je lui ai donné parole de la prendre pour femme.

MATHURINE. – Holà, Charlotte, ça n'est pas bian de courir sur le marché* des autres.

CHARLOTTE. – Ça n'est pas honnête, Mathurine, d'être jalouse que Monsieur me parle.

MATHURINE. – C'est moi que Monsieur a vue la première.

CHARLOTTE. – S'il vous a vue la première, il m'a vue la seconde, et m'a promis de m'épouser.

DOM JUAN, *bas, à Mathurine*. – Eh bien, que vous ai-je dit ?

MATHURINE. – Je vous baise les mains*, c'est moi, et non pas vous qu'il a promis d'épouser.

DOM JUAN, *bas, à Charlotte*. – N'ai-je pas deviné ?

CHARLOTTE. – À d'autres, je vous prie, c'est moi, vous dis-je.

MATHURINE. – Vous vous moquez des gens, c'est moi, encore un coup.

CHARLOTTE. – Le vlà qui est pour le dire, si je n'ai pas raison.

MATHURINE. – Le vlà qui est pour me démentir, si je ne dis pas vrai.

CHARLOTTE. – Est-ce, Monsieur, que vous lui avez promis de l'épouser ?

DOM JUAN, *bas, à Charlotte*. – Vous vous raillez de moi.

MATHURINE. – Est-il vrai, Monsieur, que vous lui avez donné parole d'être son mari ?

DOM JUAN, *bas, à Mathurine*. – Pouvez-vous avoir cette pensée ?

CHARLOTTE. – Vous voyez qu'al le soutient.

DOM JUAN, *bas, à Charlotte*. – Laissez-la faire.

MATHURINE. – Vous êtes témoin comme al l'assure.

DOM JUAN, *bas, à Mathurine*. – Laissez-la dire.

CHARLOTTE. – Non, non, il faut savoir la vérité.

MATHURINE. – Il est question de juger ça.

CHARLOTTE. – Oui, Mathurine, je veux que Monsieur vous montre votre bec* jaune.

MATHURINE. – Oui, Charlotte, je veux que Monsieur vous rende un peu camuse*.

CHARLOTTE. – Monsieur, videz la querelle, s'il vous plaît.

MATHURINE. – Mettez-nous d'accord, Monsieur.

CHARLOTTE, *à Mathurine*. – Vous allez voir.

MATHURINE, *à Charlotte*. – Vous allez voir vous-même.

CHARLOTTE, *à Dom Juan*. – Dites.

MATHURINE, *à Dom Juan*. – Parlez.

DOM JUAN, *embarrassé, leur dit à toutes deux*. – Que voulez-vous que je dise ? Vous soutenez également toutes deux que je vous ai promis de vous prendre pour femmes. Est-ce que chacune de vous ne sait pas ce qui en est, sans qu'il soit nécessaire que je m'explique davantage ? Pourquoi m'obliger là-dessus à des redites ? Celle à qui j'ai promis effectivement n'a-t-elle pas en elle-même de quoi se moquer des discours de l'autre, et doit-elle se mettre en peine pourvu que j'accomplisse ma promesse ? Tous les discours n'avancent point les choses, il faut faire, et non pas dire, et les effets* décident mieux que les paroles. Aussi n'est-ce rien que par là [1] que je vous veux mettre d'accord, et l'on verra quand je me marierai, laquelle des deux a mon cœur, (*bas, à Mathurine*) laissez-lui croire ce qu'elle voudra, (*bas, à Charlotte*) laissez-la se flatter dans son imagination, (*bas, à Mathurine*) je vous adore, (*bas, à Charlotte*) je suis tout à vous, (*bas, à Mathurine*) tous les visages sont laids auprès du vôtre, (*bas, à Charlotte*) on ne peut plus souffrir les autres quand on vous a vue. J'ai un petit ordre à donner, je viens vous retrouver dans un quart d'heure.

Charlotte, *à Mathurine*. — Je suis celle qu'il aime, au moins.

Mathurine. — C'est moi qu'il épousera.

Sganarelle. — Ah, pauvres filles que vous êtes, j'ai pitié de votre innocence, et je ne puis souffrir de vous voir courir à votre malheur. Croyez-moi l'une et l'autre, ne vous amusez point à tous les contes qu'on vous fait, et demeurez dans votre village.

Dom Juan, *revenant*. — Je voudrais bien savoir pourquoi Sganarelle ne me suit pas.

Sganarelle, *à ces filles*. — Mon maître est un fourbe, il n'a dessein que de vous abuser*, et en a bien abusé d'autres, c'est l'épouseur du genre humain, et... (*il aperçoit Dom Juan*) cela est faux, et quiconque vous dira cela, vous lui devez dire qu'il en a menti. Mon maître n'est point l'épouseur du genre humain, il n'est point fourbe, il n'a pas dessein de vous tromper, et n'en a point abusé d'autres. Ah, tenez, le voilà, demandez-le plutôt à lui-même.

Dom Juan. — Oui.

Sganarelle. — Monsieur, comme le monde est plein de médisants, je vais au-devant des choses, et je leur disais que si quelqu'un leur venait dire du mal de vous,

---

1. *Aussi n'est-ce rien que par là* : aussi, c'est seulement de cette façon.

elles se gardassent bien de le croire, et ne manquassent pas de lui dire qu'il en aurait menti.

DOM JUAN. – Sganarelle.

SGANARELLE. – Oui, Monsieur est homme d'honneur, je le garantis tel.

DOM JUAN. – Hon.

SGANARELLE. – Ce sont des impertinents.

Scène V
DOM JUAN, LA RAMÉE, CHARLOTTE, MATHURINE, SGANARELLE

LA RAMÉE. – Monsieur, je viens vous avertir qu'il ne fait pas bon ici pour vous.

DOM JUAN. – Comment ?

LA RAMÉE. – Douze hommes à cheval vous cherchent, qui doivent arriver ici dans un moment ; je ne sais pas par quel moyen ils peuvent vous avoir suivi, mais j'ai appris cette nouvelle d'un paysan qu'ils ont interrogé, et auquel ils vous ont dépeint. L'affaire presse, et le plus tôt que vous pourrez sortir d'ici sera le meilleur.

DOM JUAN, *à Charlotte et Mathurine*. – Une affaire pressante m'oblige à partir d'ici, mais je vous prie de vous ressouvenir de la parole que je vous ai donnée, et de croire que vous aurez de mes nouvelles avant qu'il soit demain au soir. Comme la partie n'est pas égale, il faut user de stratagème, et éluder adroitement le malheur qui me cherche ; je veux que Sganarelle se revête de mes habits, et moi...

SGANARELLE. – Monsieur, vous vous moquez, m'exposer à être tué sous vos habits, et...

DOM JUAN. – Allons vite, c'est trop d'honneur que je vous fais, et bien heureux est le valet qui peut avoir la gloire de mourir pour son maître.

SGANARELLE. – Je vous remercie d'un tel honneur. O Ciel, puisqu'il s'agit de mort, fais-moi la grâce de n'être point pris pour un autre.

ACTE III [1]

Scène première
DOM JUAN, *en habit de campagne*
SGANARELLE, *en médecin*

SGANARELLE. – Ma foi, Monsieur, avouez que j'ai eu raison, et que nous voilà l'un et l'autre déguisés à merveille. Votre premier dessein n'était point du tout à propos, et ceci nous cache bien mieux que tout ce que vous vouliez faire.

DOM JUAN. – Il est vrai que te voilà bien, et je ne sais où tu as été déterrer cet attirail ridicule.

SGANARELLE. – Oui ? C'est l'habit d'un vieux médecin qui a été laissé en gage au lieu où je l'ai pris, et il m'en a coûté de l'argent pour l'avoir. Mais savez-vous, Monsieur, que cet habit me met déjà en considération ? que je suis salué des gens que je rencontre, et que l'on me vient consulter ainsi qu'un habile homme ?

DOM JUAN. – Comment donc ?

SGANARELLE. – Cinq ou six paysans et paysannes, en me voyant passer, me sont venus demander mon avis sur différentes maladies.

DOM JUAN. – Tu leur as répondu que tu n'y entendais rien ?

---

1. Au cours de l'acte III, le théâtre représente une forêt, avec, à l'arrière-plan, « une manière de temple » : sans doute s'agit-il du tombeau du Commandeur D'après les commandes passées par Molière auprès des peintres chargés de réaliser les décors de sa pièce, un changement avait lieu à la scène V, pour figurer cette fois sur la scène l'intérieur du « temple », c'est-à-dire la chapelle funéraire où se trouve la statue du Commandeur. Voir le Dossier, p. 158-159.

SGANARELLE. — Moi, point du tout, j'ai voulu soutenir l'honneur de mon habit, j'ai raisonné sur le mal, et leur ai fait des ordonnances à chacun.

DOM JUAN. — Et quels remèdes encore leur as-tu ordonnés ?

SGANARELLE. — Ma foi, Monsieur, j'en ai pris par où j'en ai pu attraper, j'ai fait mes ordonnances à l'aventure*, et ce serait une chose plaisante si les malades guérissaient, et qu'on m'en vînt remercier.

DOM JUAN. — Et pourquoi non ? Par quelle raison n'aurais-tu pas les mêmes privilèges qu'ont tous les autres médecins ? Ils n'ont pas plus de part que toi aux guérisons des malades, et tout leur art est pure grimace*. Ils ne font rien que recevoir la gloire des heureux succès, et tu peux profiter comme eux du bonheur du malade, et voir attribuer à tes remèdes tout ce qui peut venir des faveurs du hasard, et des forces de la nature.

SGANARELLE. — Comment, Monsieur, vous êtes aussi impie en médecine [1] ?

DOM JUAN. — C'est une des grandes erreurs qui soit parmi les hommes.

SGANARELLE. — Quoi, vous ne croyez pas au séné, ni à la casse, ni au vin émétique [2] ?

DOM JUAN. — Et pourquoi veux-tu que j'y croie ?

SGANARELLE. — Vous avez l'âme bien mécréante. Cependant vous voyez depuis un temps que le vin émétique fait bruire ses fuseaux*. Ses miracles ont converti les plus incrédules esprits, et il n'y a pas trois semaines que j'en ai vu, moi qui vous parle, un effet merveilleux.

DOM JUAN. — Et quel ?

SGANARELLE. — Il y avait un homme qui depuis six jours était à l'agonie, on ne savait plus que lui ordonner,

---

1. On voit bien ici que ce petit prologue de l'acte III, où Molière s'en prend une nouvelle fois à l'une de ses cibles favorites – les médecins – a surtout pour objet d'amener la discussion sur les matières de foi et de religion.
2. Le *séné* et la *casse* sont des purgatifs, le *vin émétique*, préparation à base d'antimoine, est un vomitif. La médecine du XVIIe siècle accordait beaucoup d'importance à toutes les substances susceptibles de purger le corps de ses « humeurs » mauvaises, de ses impuretés : Molière s'en est beaucoup moqué.

et tous les remèdes ne faisaient rien ; on s'avisa à la fin de lui donner de l'émétique.

DOM JUAN. – Il réchappa, n'est-ce pas ?

SGANARELLE. – Non, il mourut.

DOM JUAN. – L'effet est admirable.

SGANARELLE. – Comment ? il y avait six jours entiers qu'il ne pouvait mourir, et cela le fit mourir tout d'un coup. Voulez-vous rien de plus efficace ?

DOM JUAN. – Tu as raison.

SGANARELLE. – Mais laissons là la médecine où vous ne croyez point, et parlons des autres choses : car cet habit me donne de l'esprit, et je me sens en humeur de disputer* contre vous. Vous savez bien que vous me permettez les disputes, et que vous ne me défendez que les remontrances.

DOM JUAN. – Eh bien !

SGANARELLE. – Je veux savoir un peu vos pensées à fond. Est-il possible que vous ne croyiez point du tout au Ciel ?

DOM JUAN. – Laissons cela.

SGANARELLE. – C'est-à-dire que non ; et à l'Enfer ?

DOM JUAN. – Eh.

SGANARELLE. – Tout de même [1] ; et au Diable, s'il vous plaît ?

DOM JUAN. – Oui, oui.

SGANARELLE. – Aussi peu ; ne croyez-vous point l'autre vie ?

DOM JUAN. – Ah, ah, ah.

SGANARELLE. – Voilà un homme que j'aurai bien de la peine à convertir. Et, dites-moi un peu, [le Moine bourru [2], qu'en croyez-vous ? eh !

---

1. *Tout de même* : pareillement, de la même façon ; c'est-à-dire, ici, aussi peu.
2. *Le Moine bourru* : sorte de croquemitaine ou de « lutin » (Richelet), « fantôme qu'on fait craindre au peuple, qui s'imagine que c'est une âme en peine qui court les rues pendant les avents de Noël, qui maltraite les passants » (Furetière). Ce moine bourru est proche du loup-garou auquel Sganarelle fait allusion à la scène I de l'acte I : il relève de la superstition populaire. On a été choqué que Molière fasse mêler, par Sganarelle, ces croyances impies et les véritables matières de foi (puisque croire au Ciel et à l'Enfer, à Dieu et au Diable sont des obli-

DOM JUAN. – La peste soit du fat.

SGANARELLE. – Et voilà ce que je ne puis souffrir, car il n'y a rien de plus vrai que le Moine bourru ; et je me ferais pendre pour celui-là. Mais] encore faut-il croire quelque chose [dans le monde] ; qu'est-ce [donc] que vous croyez ?

DOM JUAN. – Ce que je crois ?

SGANARELLE. – Oui.

DOM JUAN. – Je crois que deux et deux sont quatre, Sganarelle, et que quatre et quatre sont huit.

SGANARELLE. – La belle croyance [et les beaux articles de foi] que voilà ; votre religion, à ce que je vois, est donc l'arithmétique ; il faut avouer qu'il se met d'étranges* folies dans la tête des hommes, et que pour avoir bien étudié on est bien moins sage le plus souvent ; pour moi, Monsieur, je n'ai point étudié comme vous, Dieu merci, et personne ne saurait se vanter de m'avoir jamais rien appris, mais avec mon petit sens*, mon petit jugement, je vois les choses mieux que tous les livres, et je comprends fort bien que ce monde que nous voyons n'est pas un champignon qui soit venu tout seul en une nuit. Je voudrais bien vous demander qui a fait ces arbres-là, ces rochers, cette terre, et ce ciel que voilà là-haut, et si tout cela s'est bâti de lui-même ; vous voilà vous, par exemple, vous êtes là : est-ce que vous vous êtes fait tout seul, et n'a-t-il pas fallu que votre père ait engrossé votre mère pour vous faire ? Pouvez-vous voir toutes les inventions dont la machine* de l'homme est composée, sans admirer de quelle façon cela est agencé l'un dans l'autre ? ces nerfs, ces os, ces veines, ces artères... ce poumon, ce cœur, ce foie, et tous ces autres ingrédients qui sont là, et qui... Oh ! dame, interrompez-moi donc si vous voulez, je ne saurais disputer* si l'on ne m'interrompt [1], vous vous taisez exprès, et me laissez parler par belle malice.

---

gations pour un chrétien). Pour cette raison, tout ce petit passage (entre crochets) a été censuré dans l'édition de 1682 : nous le donnons d'après l'édition hollandaise de 1683.

1. C'est tout le comique de la tirade de Sganarelle : incapable d'exposer, de façon logique et suivie, un raisonnement complet, il attend qu'on lui fasse des objections pour y répondre. Dom Juan, narquois, se

DOM JUAN. – J'attends que ton raisonnement soit fini.

SGANARELLE. – Mon raisonnement est qu'il y a quelque chose d'admirable dans l'homme, quoi que vous puissiez dire, que tous les savants ne sauraient expliquer ; cela n'est-il pas merveilleux que me voilà ici, et que j'aie quelque chose dans la tête qui pense cent choses différentes en un moment, et fait de mon corps tout ce qu'elle veut ! Je veux frapper des mains, hausser le bras, lever les yeux au ciel, baisser la tête, remuer les pieds, aller à droit, à gauche, en avant, en arrière, tourner...

Il se laisse tomber en tournant.

DOM JUAN. – Bon, voilà ton raisonnement qui a le nez cassé.

SGANARELLE. – Morbleu, je suis bien sot de m'amuser à raisonner avec vous ; croyez ce que vous voudrez, il m'importe bien que vous soyez damné !

DOM JUAN. – Mais tout en raisonnant, je crois que nous sommes égarés ; appelle un peu cet homme que voilà là-bas, pour lui demander le chemin.

SGANARELLE. – Holà, ho, l'homme ; ho, mon compère, ho, l'ami, un petit mot s'il vous plaît.

Scène II
DOM JUAN, SGANARELLE, FRANCISQUE

SGANARELLE. – Enseignez-nous un peu le chemin qui mène à la ville.

LE PAUVRE. – Vous n'avez qu'à suivre cette route, Messieurs, et détourner à main droite quand vous serez au bout de la forêt. Mais je vous donne avis que vous devez vous tenir sur vos gardes, et que depuis quelque temps, il y a des voleurs ici autour.

DOM JUAN. – Je te suis bien obligé, mon ami, et je te rends grâces de tout mon cœur.

---

tait, attendant que son valet s'enferre dans toute ses déductions qui n'aboutissent à aucune conclusion : c'est *belle malice* de sa part, c'est-à-dire ruse, fourberie, mais aussi plaisanterie...

LE PAUVRE. – Si vous vouliez, Monsieur, me secourir de quelque aumône.

DOM JUAN. – Ah, ah, ton avis est intéressé à ce que je vois.

LE PAUVRE. – Je suis un pauvre homme, Monsieur, retiré tout seul dans ce bois depuis dix ans, et je ne manquerai pas de prier le Ciel qu'il vous donne toute sorte de biens.

DOM JUAN. – Eh, prie-le qu'il te donne un habit, sans te mettre en peine des affaires des autres.

SGANARELLE. – Vous ne connaissez pas Monsieur, bonhomme, il ne croit qu'en deux et deux sont quatre, et en quatre et quatre sont huit.

DOM JUAN. – Quelle est ton occupation parmi ces arbres ?

LE PAUVRE. – De prier le Ciel tout le jour pour la prospérité des gens de bien qui me donnent quelque chose.

DOM JUAN. – Il ne se peut donc pas que tu ne sois bien à ton aise [1] ?

LE PAUVRE. – Hélas, Monsieur, je suis dans la plus grande nécessité* du monde.

DOM JUAN. – Tu te moques, un homme qui prie le Ciel tout le jour ne peut pas manquer d'être bien dans ses affaires.

LE PAUVRE. – Je vous assure, Monsieur, que le plus souvent je n'ai pas un morceau de pain à mettre sous les dents.

DOM JUAN. – [Voilà qui est étrange*, et tu es bien mal reconnu de tes soins ; ah ah,] je m'en vais te donner un louis d'or [tout à l'heure pourvu que tu veuilles jurer [2].

---

1. L'ironie mordante de cette réplique de Dom Juan est discrètement atténuée par une double négation. Il faut comprendre : dans ces conditions – puisque tu consacres ta vie à prier. . – il est impossible que tu ne connaisses pas toi-même la prospérité, n'est-ce pas ?
2. Le cœur de cette scène, où Dom Juan propose au Pauvre d'échanger une aumône contre un blasphème, n'est reproduit que dans l'édition hollandaise de 1683 (texte entre crochets). Ce passage avait particulièrement contribué au scandale suscité par la pièce ; il fut coupé après la première représentation. Pour en bien comprendre le sens et la portée subversive, on se reportera au Dossier, p. 176-178

Le Pauvre. — Ah, Monsieur, voudriez-vous que je commisse un tel péché ?

Dom Juan. — Tu n'as qu'à voir si tu veux gagner un louis d'or ou non, en voici un que je te donne si tu jures ; tiens, il faut jurer.

Le Pauvre. — Monsieur.

Dom Juan. — À moins de cela tu ne l'auras pas.

Sganarelle. — Va, va, jure un peu, il n'y a pas de mal.

Dom Juan. — Prends, le voilà, prends te dis-je, mais jure donc.

Le Pauvre. — Non Monsieur, j'aime mieux mourir de faim.

Dom Juan. — Va, va,] je te le donne pour l'amour de l'humanité [1]. Mais que vois-je là, un homme attaqué par trois autres ? La partie est trop inégale, et je ne dois pas souffrir cette lâcheté.

Il court au lieu du combat.

Scène III
Dom Juan, Dom Carlos, Sganarelle

Sganarelle. — Mon maître est un vrai enragé d'aller se présenter à un péril qui ne le cherche pas, mais, ma foi, le secours a servi, et les deux ont fait fuir les trois.

Dom Carlos, *l'épée à la main*. — On voit par la fuite de ces voleurs de quel secours est votre bras. Souffrez, Monsieur, que je vous rende grâce d'une action si généreuse, et que...

Dom Juan, *revenant l'épée à la main*. — Je n'ai rien fait, Monsieur, que vous n'eussiez fait en ma place. Notre propre honneur est intéressé [2] dans de pareilles aventures,

---

1. *Pour l'amour de l'humanité* : cette formule remplace celle qu'appellerait la charité chrétienne : « pour l'amour de Dieu ». Le geste de Dom Juan n'a rien à voir avec la religion : l'*humanité* se définit comme « douceur, bonté, honnêteté, tendresse, telle qu'il convient d'avoir pour son semblable » (*Dictionnaire* de Furetière).
2. *Est intéressé* : est en cause Dom Juan, qui vient de s'opposer avec violence à la morale chrétienne fondée sur la charité dans la scène précédente, se réclame cependant ici d'une morale aristocratique, fondée sur l'honneur.

et l'action de ces coquins était si lâche, que c'eût été y prendre part que de ne s'y pas opposer. Mais par quelle rencontre* vous êtes-vous trouvé entre leurs mains ?

Dom Carlos. — Je m'étais par hasard égaré d'un frère, et de tous ceux de notre suite, et comme je cherchais à les rejoindre, j'ai fait rencontre de ces voleurs, qui d'abord ont tué mon cheval, et qui sans votre valeur en auraient fait autant de moi.

Dom Juan. — Votre dessein est-il d'aller du côté de la ville ?

Dom Carlos. — Oui, mais sans y vouloir entrer ; et nous nous voyons obligés mon frère et moi à tenir la campagne pour une de ces fâcheuses affaires qui réduisent les gentilshommes à se sacrifier eux et leur famille à la sévérité de leur honneur, puisque enfin le plus doux succès en est toujours funeste, et que si l'on ne quitte pas la vie, on est contraint de quitter le royaume ; et c'est en quoi je trouve la condition d'un gentilhomme malheureuse, de ne pouvoir point s'assurer sur toute la prudence et toute l'honnêteté de sa conduite, d'être asservi par les lois de l'honneur au dérèglement de la conduite d'autrui, et de voir sa vie, son repos, et ses biens dépendre de la fantaisie du premier téméraire qui s'avisera de lui faire une de ces injures* pour qui [1] un honnête homme doit périr [2].

Dom Juan. — On a cet avantage qu'on fait courir le même risque, et passer aussi mal le temps à ceux qui prennent fantaisie de nous venir faire une offense de gaieté de cœur. Mais ne serait-ce point une indiscrétion que de vous demander quelle peut être votre affaire ?

---

1. *Pour qui* : pour lesquelles.
2. Dom Carlos se livre dans cette tirade à un étrange blâme de la morale aristocratique : l'obligation de défendre son honneur et celui de sa famille, explique Dom Carlos, fait qu'un gentilhomme n'est jamais maître de son destin puisqu'il doit tout sacrifier, sa tranquillité et même sa vie, pour venger un affront que n'importe qui peut lui faire.. Cynique, Dom Juan réplique dans la tirade suivante que cet inconvénient est compensé par le fait que l'on peut causer à autrui le même désagrément.

DOM CARLOS. – La chose en est aux termes* de n'en plus faire de secret, et lorsque l'injure a une fois éclaté [1], notre honneur ne va point à vouloir cacher notre honte, mais à faire éclater notre vengeance, et à publier* même le dessein que nous en avons. Ainsi, Monsieur, je ne feindrai point de vous dire [2] que l'offense que nous cherchons à venger est une sœur séduite et enlevée d'un couvent, et que l'auteur de cette offense est un Dom Juan Tenorio, fils de Dom Louis Tenorio. Nous le cherchons depuis quelques jours, et nous l'avons suivi ce matin sur le rapport d'un valet, qui nous a dit qu'il sortait à cheval accompagné de quatre ou cinq, et qu'il avait pris le long de cette côte ; mais tous nos soins* ont été inutiles, et nous n'avons pu découvrir ce qu'il est devenu.

DOM JUAN. – Le connaissez-vous, Monsieur, ce Dom Juan dont vous parlez ?

DOM CARLOS. – Non, quant à moi. Je ne l'ai jamais vu, et je l'ai seulement ouï dépeindre à mon frère, mais la renommée n'en dit pas force bien, et c'est un homme dont la vie...

DOM JUAN. – Arrêtez, Monsieur, s'il vous plaît, il est un peu de mes amis, et ce serait à moi une espèce de lâcheté que d'en ouïr dire du mal.

DOM CARLOS. – Pour l'amour de vous, Monsieur, je n'en dirai rien du tout, et c'est bien la moindre chose que je vous doive, après m'avoir sauvé la vie [3], que de me taire devant vous d'une personne que vous connaissez, lorsque je ne puis en parler sans en dire du mal : mais quelque ami que vous lui soyez, j'ose espérer que vous n'approuverez pas son action, et ne trouverez pas étrange* que nous cherchions d'en prendre la vengeance.

DOM JUAN. – Au contraire, je vous y veux servir, et vous épargner des soins inutiles ; je suis ami de Dom Juan, je ne puis pas m'en empêcher, mais il n'est pas

---

1. *Lorsque l'injure a une fois éclaté* : une fois que l'affront est devenu public.
2. *Je ne feindrai point de vous dire* : je n'hésiterai pas à vous dire, je vous dirai sans détour.
3. *Après m'avoir sauvé la vie* : après que vous m'avez sauvé la vie.

raisonnable qu'il offense impunément des gentils-hommes, et je m'engage à vous faire faire raison par lui [1].

DOM CARLOS. – Et quelle raison peut-on faire à ces sortes d'injures* ?

DOM JUAN. – Toute celle que votre honneur peut souhaiter ; et sans vous donner la peine de chercher Dom Juan davantage, je m'oblige à le faire trouver au lieu que vous voudrez, et quand il vous plaira.

DOM CARLOS. – Cet espoir est bien doux, Monsieur, à des cœurs offensés ; mais après ce que je vous dois, ce me serait une trop sensible douleur que vous fussiez de la partie [2].

DOM JUAN. – Je suis si attaché à Dom Juan, qu'il ne saurait se battre que je ne me batte aussi : mais enfin j'en réponds comme de moi-même, et vous n'avez qu'à dire quand vous voulez qu'il paraisse, et vous donne satisfaction*.

DOM CARLOS. – Que ma destinée est cruelle ! Faut-il que je vous doive la vie, et que Dom Juan soit de vos amis !

Scène IV
DOM ALONSE, et trois suivants
DOM CARLOS, DOM JUAN, SGANARELLE

DOM ALONSE. – Faites boire là mes chevaux, et qu'on les amène après nous, je veux un peu marcher à pied. O Ciel, que vois-je ici ? Quoi, mon frère, vous voilà avec notre ennemi mortel ?

DOM CARLOS. – Notre ennemi mortel ?

DOM JUAN, *se reculant de trois pas et mettant fièrement la main sur la garde de son épée*. – Oui, je suis

---

1. *Je m'engage à vous faire faire raison par lui* : je m'engage à ce qu'il vous rende justice.
2. *Ce me serait une trop sensible douleur que vous fussiez de la partie* : cela me causerait beaucoup de peine que vous preniez part au duel (sous entendu : je serais triste de devoir vous combattre, vous qui m'avez sauvé la vie, si vous combattez aux côtés de votre ami Dom Juan).

Dom Juan moi-même, et l'avantage du nombre ne m'obligera pas à vouloir déguiser mon nom.

DOM ALONSE. – Ah, traître, il faut que tu périsses, et...

DOM CARLOS. – Ah, mon frère, arrêtez, je lui suis redevable de la vie, et sans le secours de son bras, j'aurais été tué par des voleurs que j'ai trouvés [1].

DOM ALONSE. – Et voulez-vous que cette considération empêche notre vengeance ? Tous les services que nous rend une main ennemie ne sont d'aucun mérite pour engager notre âme ; et s'il faut mesurer l'obligation à l'injure [2], votre reconnaissance, mon frère, est ici ridicule ; et comme l'honneur est infiniment plus précieux que la vie, c'est ne devoir rien proprement, que d'être redevable de la vie à qui nous a ôté l'honneur.

DOM CARLOS. – Je sais la différence, mon frère, qu'un gentilhomme doit toujours mettre entre l'un et l'autre, et la reconnaissance de l'obligation [3] n'efface point en moi le ressentiment de l'injure* : mais souffrez que je lui rende ici ce qu'il m'a prêté, que je m'acquitte sur-le-champ de la vie que je lui dois par un délai de notre vengeance, et lui laisse la liberté de jouir durant quelques jours du fruit de son bienfait.

DOM ALONSE. – Non, non, c'est hasarder notre vengeance que de la reculer, et l'occasion de la prendre peut ne plus revenir ; le Ciel nous l'offre ici, c'est à nous d'en profiter. Lorsque l'honneur est blessé mortellement, on ne doit point songer à garder aucunes mesures, et si vous répugnez à prêter votre bras à cette action, vous n'avez qu'à vous retirer, et laisser à ma main la gloire d'un tel sacrifice.

DOM CARLOS. – De grâce, mon frère...

DOM ALONSE. – Tous ces discours sont superflus ; il faut qu'il meure.

DOM CARLOS. – Arrêtez-vous, dis-je, mon frère, je ne souffrirai point du tout qu'on attaque* ses jours, et je jure

---

1. *Que j'ai trouvés* : que j'ai rencontrés.
2. *S'il faut mesurer l'obligation à l'injure* : s'il faut comparer la reconnaissance que vous devez à Dom Juan à l'affront qu'il nous a fait.
3. *La reconnaissance de l'obligation* : le fait de reconnaître ma dette envers Dom Juan.

le Ciel que je le défendrai ici contre qui que ce soit, et je saurai lui faire un rempart de cette même vie qu'il a sauvée, et pour adresser vos coups, il faudra que vous me perciez.

DOM ALONSE. – Quoi, vous prenez le parti de notre ennemi contre moi, et loin d'être saisi à son aspect des mêmes transports* que je sens, vous faites voir pour lui des sentiments pleins de douceur ?

DOM CARLOS. – Mon frère, montrons de la modération dans une action légitime, et ne vengeons point notre honneur avec cet emportement que vous témoignez. Ayons du cœur dont nous soyons les maîtres [1], une valeur qui n'ait rien de farouche, et qui se porte aux choses par une pure délibération de notre raison, et non point par le mouvement d'une aveugle colère. Je ne veux point, mon frère, demeurer redevable à mon ennemi, et je lui ai une obligation dont il faut que je m'acquitte avant toute chose. Notre vengeance pour être différée n'en sera pas moins éclatante ; au contraire, elle en tirera de l'avantage, et cette occasion de l'avoir pu prendre [2] la fera paraître plus juste aux yeux de tout le monde.

DOM ALONSE. – O l'étrange* faiblesse, et l'aveuglement effroyable, d'hasarder ainsi les intérêts de son honneur pour la ridicule pensée d'une obligation chimérique !

DOM CARLOS. – Non, mon frère, ne vous mettez pas en peine* ; si je fais une faute, je saurai bien la réparer, et je me charge de tout le soin de notre honneur ; je sais à quoi il nous oblige, et cette suspension* d'un jour que ma reconnaissance lui demande, ne fera qu'augmenter l'ardeur que j'ai de le satisfaire. Dom Juan, vous voyez que j'ai soin de vous rendre le bien que j'ai reçu de vous, et vous devez par là juger du reste, croire que je m'acquitte avec même chaleur de ce que je dois, et que je ne serai pas moins exact à vous payer l'injure* que le bienfait. Je ne

---

1. *Ayons du cœur dont nous soyons les maîtres* : sachons maîtriser notre courage. Le *Dictionnaire* de Richelet donne cette définition du *cœur* : « fierté, manière d'une âme généreuse, et incapable de faiblesse et de lâcheté ».
2. *Cette occasion de l'avoir pu prendre.* Sous-entendu : cette première occasion de nous venger, auquel nous aurons renoncé, soulignera la justice et la noblesse de notre vengeance.

veux point vous obliger ici à expliquer vos sentiments [1], et je vous donne la liberté de penser à loisir aux résolutions que vous avez à prendre. Vous connaissez assez la grandeur de l'offense que vous nous avez faite, et je vous fais juge vous-même des réparations qu'elle demande. Il est des moyens doux pour nous satisfaire ; il en est de violents et de sanglants [2] ; mais enfin, quelque choix que vous fassiez, vous m'avez donné parole de me faire faire raison par Dom Juan ; songez à me la faire, je vous prie, et vous ressouvenez que hors d'ici je ne dois plus qu'à mon honneur.

Dom Juan. — Je n'ai rien exigé de vous, et vous tiendrai ce que j'ai promis.

Dom Carlos. — Allons, mon frère, un moment de douceur ne fait aucune injure* à la sévérité de notre devoir.

Scène V
Dom Juan, Sganarelle

Dom Juan. — Holà, hé, Sganarelle.

Sganarelle. — Plaît-il ?

Dom Juan. — Comment, coquin, tu fuis quand on m'attaque ?

Sganarelle. — Pardonnez-moi, Monsieur, je viens seulement d'ici près ; je crois que cet habit est purgatif, et que c'est prendre médecine [3] que de le porter.

Dom Juan. — Peste soit l'insolent, couvre au moins ta poltronnerie d'un voile plus honnête. Sais-tu bien qui est celui à qui j'ai sauvé la vie ?

Sganarelle. — Moi ? non.

Dom Juan. — C'est un frère d'Elvire.

Sganarelle. — Un...

---

1. *À expliquer vos sentiments* : à nous dévoiler ce que vous comptez faire.
2. Autrement dit : Dom Carlos donne le choix à Dom Juan entre des excuses publiques accompagnées d'une réconciliation avec Elvire, et un duel.
3. *Médecine* : médicament. Ici, un laxatif, puisque l'habit de médecin est dit *purgatif* en lui-même (voir plus haut, p. 91, n. 2). Cette plaisanterie gauloise sur les causes de la fuite de Sganarelle relève de l'univers de la farce.

DOM JUAN. – Il est assez honnête homme [1], il en a bien usé*, et j'ai regret d'avoir démêlé avec lui.

SGANARELLE. – Il vous serait aisé de pacifier toutes choses.

DOM JUAN. – Oui, mais ma passion est usée pour Done Elvire, et l'engagement ne compatit point avec mon humeur [2]. J'aime la liberté en amour, tu le sais, et je ne saurais me résoudre à renfermer mon cœur entre quatre murailles. Je te l'ai dit vingt fois, j'ai une pente naturelle à me laisser aller à tout ce qui m'attire. Mon cœur est à toutes les belles, et c'est à elles à le prendre tour à tour, et à le garder tant qu'elles le pourront. Mais quel est le superbe édifice que je vois entre ces arbres ?

SGANARELLE. – Vous ne le savez pas ?

DOM JUAN. – Non, vraiment.

SGANARELLE. – Bon, c'est le tombeau que le Commandeur faisait faire lorsque vous le tuâtes.

DOM JUAN. – Ah, tu as raison, je ne savais pas que c'était de ce côté-ci qu'il était. Tout le monde m'a dit des merveilles de cet ouvrage, aussi bien que de la statue du Commandeur, et j'ai envie de l'aller voir.

SGANARELLE. – Monsieur, n'allez point là.

DOM JUAN. – Pourquoi ?

SGANARELLE. – Cela n'est pas civil* d'aller voir un homme que vous avez tué.

DOM JUAN. – Au contraire, c'est une visite dont je lui veux faire civilité [3], et qu'il doit recevoir de bonne grâce, s'il est galant* homme. Allons, entrons dedans.

> *Le tombeau s'ouvre, où l'on voit un superbe mausolée et la statue du Commandeur.*

SGANARELLE. – Ah, que cela est beau ! les belles statues ! le beau marbre ! les beaux piliers ! ah, que cela est beau, qu'en dites-vous, Monsieur ?

---

1. *Honnête homme.* On peut comprendre ici l'expression de deux façons : c'est un homme d'honneur ; c'est un homme dont les manières sont agréables, élégantes.
2. *L'engagement ne compatit point avec mon humeur* : le mariage, la fidélité ne correspondent pas à mon caractère.
3. *C'est une visite dont je lui veux faire civilité* : c'est une visite de courtoisie.

DOM JUAN. – Qu'on ne peut voir aller plus loin l'ambition d'un homme mort ; et ce que je trouve admirable, c'est qu'un homme qui s'est passé* durant sa vie d'une assez simple demeure, en veuille avoir une si magnifique pour quand il n'en a plus que faire.

SGANARELLE. – Voici la statue du Commandeur.

DOM JUAN. – Parbleu, le voilà bon [1] avec son habit d'empereur romain.

SGANARELLE. – Ma foi, Monsieur, voilà qui est bien fait. Il semble qu'il est en vie, et qu'il s'en va parler. Il jette des regards sur nous qui me feraient peur si j'étais tout seul, et je pense qu'il ne prend pas plaisir de nous voir.

DOM JUAN. – Il aurait tort, et ce serait mal recevoir l'honneur que je lui fais. Demande-lui s'il veut venir souper avec moi.

SGANARELLE. – C'est une chose dont il n'a pas besoin, je crois.

DOM JUAN. – Demande-lui, te dis-je.

SGANARELLE. – Vous moquez-vous ? Ce serait être fou que d'aller parler à une statue.

DOM JUAN. – Fais ce que je te dis.

SGANARELLE. – Quelle bizarrerie ! Seigneur Commandeur... je ris de ma sottise, mais c'est mon maître qui me la fait faire. Seigneur Commandeur, mon maître Dom Juan vous demande si vous voulez lui faire l'honneur de venir souper avec lui. *(La statue baisse la tête.)* Ha !

DOM JUAN. – Qu'est-ce ? qu'as-tu, dis donc, veux-tu parler ?

SGANARELLE *fait le même signe que lui a fait la Statue, et baisse la tête.* – La Statue...

DOM JUAN. – Eh bien, que veux-tu dire, traître ?

SGANARELLE. – Je vous dis que la Statue...

---

1. *Le voilà bon* : le voilà beau, lui voilà belle allure ! Le Commandeur est en effet représenté comme c'était l'usage dans l'attitude, majestueuse, et le costume, plein de noblesse, d'un empereur romain : on le voit bien sur la gravure qui sert de frontispice à la pièce dans l'édition de 1682 (attitude de commandement symbolisée par le bâton, cuirasse ajustée dont l'austère simplicité contraste avec le costume excessivement raffiné de Dom Juan). Voir illustration, p. 24.

DOM JUAN. – Eh bien, la Statue ? je t'assomme si tu ne parles.

SGANARELLE. – La Statue m'a fait signe.

DOM JUAN. – La peste le coquin.

SGANARELLE. – Elle m'a fait signe, vous dis-je, il n'est rien de plus vrai. Allez-vous-en lui parler vous-même pour voir ; peut-être...

DOM JUAN. – Viens, maraud, viens, je te veux bien faire toucher au doigt ta poltronnerie, prends garde. Le Seigneur Commandeur voudrait-il venir souper avec moi ?

La Statue baisse encore la tête.

SGANARELLE. – Je ne voudrais pas en tenir dix pistoles [1]. Eh bien, Monsieur ?

DOM JUAN. – Allons, sortons d'ici.

SGANARELLE. – Voilà de mes esprits* forts qui ne veulent rien croire.

---

1. *Je ne voudrais pas en tenir dix pistoles* : je ne voudrais pas parier dix pistoles du contraire. La pistole est une pièce d'or ; Sganarelle veut donc dire qu'il ne parierait à aucun prix à ce sujet – parce qu'il a la certitude que le Commandeur va répondre à l'invitation de Dom Juan, si invraisemblable que la chose puisse paraître

ACTE IV [1]

Scène première
DOM JUAN, SGANARELLE

DOM JUAN. – Quoi qu'il en soit, laissons cela, c'est une bagatelle, et nous pouvons avoir été trompés par un faux jour, ou surpris de quelque vapeur [2] qui nous ait troublé la vue.

SGANARELLE. – Eh, Monsieur, ne cherchez point à démentir ce que nous avons vu des yeux que voilà. Il n'est rien de plus véritable que ce signe de tête, et je ne doute point que le Ciel, scandalisé de votre vie, n'ait produit ce miracle pour vous convaincre, et pour vous retirer de...

DOM JUAN. – Écoute. Si tu m'importunes davantage de tes sottes moralités*, si tu me dis encore le moindre mot là-dessus, je vais appeler quelqu'un, demander un nerf de bœuf, te faire tenir par trois ou quatre, et te rouer de mille coups. M'entends-tu bien ?

SGANARELLE. – Fort bien, Monsieur, le mieux du monde, vous vous expliquez clairement, c'est ce qu'il y a de bon en vous, que vous n'allez point chercher de détours, vous dites les choses avec une netteté admirable.

---

1 Le décor de cet acte représente une chambre, qui figure l'appartement de Dom Juan.

2. *Faux jour, vapeur* : les deux expressions peuvent être prises dans leur sens propre, pour indiquer une apparence trompeuse, une illusion d'optique – ou dans un sens médical, pour signifier « nous avons été victimes d'une hallucination ».

DOM JUAN. – Allons, qu'on me fasse souper le plus tôt que l'on pourra. Une chaise, petit garçon [1].

Scène II
DOM JUAN, LA VIOLETTE, SGANARELLE

LA VIOLETTE. – Monsieur, voilà votre marchand [2], Monsieur Dimanche, qui demande à vous parler.

SGANARELLE. – Bon, voilà ce qu'il nous faut qu'un compliment de créancier. De quoi s'avise-t-il de nous venir demander de l'argent, et que ne lui disais-tu que Monsieur n'y est pas ?

LA VIOLETTE. – Il y a trois quarts d'heure que je lui dis, mais il ne veut pas le croire, et s'est assis là-dedans pour attendre.

SGANARELLE. – Qu'il attende tant qu'il voudra.

DOM JUAN. – Non, au contraire, faites-le entrer, c'est une fort mauvaise politique que de se faire celer* aux créanciers. Il est bon de les payer de quelque chose, et j'ai le secret de les renvoyer satisfaits sans leur donner un double*.

Scène III
DOM JUAN, M. DIMANCHE, SGANARELLE, SUITE

DOM JUAN, *faisant de grandes civilités.* – Ah, Monsieur Dimanche, approchez. Que je suis ravi de vous voir, et que je veux de mal à mes gens de ne vous pas faire entrer d'abord* ! J'avais donné ordre qu'on ne me fît parler personne [3], mais cet ordre n'est pas pour vous, et vous êtes en droit de ne trouver jamais de porte fermée chez moi.

---

1 Dom Juan s'adresse à un jeune serviteur, qui n'est pas mentionné parmi les personnages de cette scène.
2. On a suggéré que ce marchand attitré (*votre marchand*) était peut-être ce que l'on nommait un « pourvoyeur », c'est-à-dire une personne unique que l'on chargeait de fournir tout ce qui était nécessaire au train d'une maison.
3. *Qu'on ne me fît parler personne* : qu'on ne permette à personne de venir me parler.

M. Dimanche. – Monsieur, je vous suis fort obligé.

Dom Juan, *parlant à ses laquais*. – Parbleu, coquins, je vous apprendrai à laisser Monsieur Dimanche dans une antichambre, et je vous ferai connaître les gens [1].

M. Dimanche. – Monsieur, cela n'est rien.

Dom Juan. – Comment ? vous dire que je n'y suis pas, à Monsieur Dimanche, au meilleur de mes amis ?

M. Dimanche. – Monsieur, je suis votre serviteur. J'étais venu...

Dom Juan. – Allons, vite, un siège pour Monsieur Dimanche.

M. Dimanche. – Monsieur, je suis bien comme cela.

Dom Juan. – Point, point, je veux que vous soyez assis contre moi [2].

M. Dimanche. – Cela n'est point nécessaire.

Dom Juan. – Ôtez ce pliant, et apportez un fauteuil [3].

M. Dimanche. – Monsieur, vous vous moquez, et...

Dom Juan. – Non, non, je sais ce que je vous dois, et je ne veux point qu'on mette de différence entre nous deux.

M. Dimanche. – Monsieur...

Dom Juan. – Allons, asseyez-vous.

M. Dimanche. – Il n'est pas besoin, Monsieur, et je n'ai qu'un mot à vous dire. J'étais...

Dom Juan. – Mettez-vous là, vous dis-je.

M. Dimanche. – Non, Monsieur, je suis bien, je viens pour...

Dom Juan. – Non, je ne vous écoute point si vous n'êtes assis.

_____

1. *Je vous ferai connaître les gens* : je vous apprendrai à reconnaître les personnes qu'il faut laisser entrer – sous-entendu, par une bonne correction ; Dom Juan affecte de réprimander ses laquais, d'où l'embarras de Monsieur Dimanche.

2. *Contre moi* : auprès de moi.

3 Le *Dictionnaire* de Furetière décrit ainsi la hiérarchie des sièges : « Les sièges sont des *fauteuils* qui ont un dossier et des bras, des chaises qui n'ont simplement qu'un dossier, des placets et des tabourets qui n'ont ni l'un ni l'autre, des sièges *pliants*, qui sont soutenus par des sangles ou de fortes toiles. » Il est ici vraisemblable que les laquais avancent à Monsieur Dimanche, simple fournisseur, un pliant ; mais Dom Juan, qui feint de traiter Monsieur Dimanche comme son égal, demande qu'on lui donne un fauteuil.

M. DIMANCHE. – Monsieur, je fais ce que vous voulez. Je...

DOM JUAN. – Parbleu, Monsieur Dimanche, vous vous portez bien.

M. DIMANCHE. – Oui, Monsieur, pour vous rendre service. Je suis venu...

DOM JUAN. – Vous avez un fonds de santé admirable, des lèvres fraîches, un teint vermeil, et des yeux vifs.

M. DIMANCHE. – Je voudrais bien...

DOM JUAN. – Comment se porte Madame Dimanche, votre épouse ?

M. DIMANCHE. – Fort bien, Monsieur, Dieu merci.

DOM JUAN. – C'est une brave femme.

M. DIMANCHE. – Elle est votre servante, Monsieur. Je venais...

DOM JUAN. – Et votre petite fille Claudine, comment se porte-t-elle ?

M. DIMANCHE. – Le mieux du monde.

DOM JUAN. – La jolie petite fille que c'est ! je l'aime de tout mon cœur.

M. DIMANCHE. – C'est trop d'honneur que vous lui faites, Monsieur. Je vous...

DOM JUAN. – Et le petit Colin fait-il toujours bien du bruit avec son tambour ?

M. DIMANCHE. – Toujours de même, Monsieur. Je...

DOM JUAN. – Et votre petit chien Brusquet ? gronde-t-il toujours aussi fort, et mord-il toujours bien aux jambes les gens qui vont chez vous ?

M. DIMANCHE. – Plus que jamais, Monsieur, et nous ne saurions en chevir*.

DOM JUAN. – Ne vous étonnez pas si je m'informe des nouvelles de toute la famille, car j'y prends beaucoup d'intérêt.

M. DIMANCHE. – Nous vous sommes, Monsieur, infiniment obligés. Je...

DOM JUAN, *lui tendant la main*. – Touchez donc là [1], Monsieur Dimanche. Êtes-vous bien de mes amis ?

---

1. *Touchez donc là*. Dom Juan tend sa main à Monsieur Dimanche ; la poignée de main, au XVIIᵉ siècle, est une marque d'amitié, car elle n'est pas encore un geste de politesse usuel .

M. DIMANCHE. – Monsieur, je suis votre serviteur.

DOM JUAN. – Parbleu, je suis à vous de tout mon cœur.

M. DIMANCHE. – Vous m'honorez trop. Je...

DOM JUAN. – Il n'y a rien que je ne fisse pour vous.

M. DIMANCHE. – Monsieur, vous avez trop de bonté pour moi.

DOM JUAN. – Et cela sans intérêt, je vous prie de le croire.

M. DIMANCHE. – Je n'ai point mérité cette grâce assurément, mais, Monsieur...

DOM JUAN. – Oh, çà, Monsieur Dimanche, sans façon, voulez-vous souper avec moi ?

M. DIMANCHE. – Non, Monsieur, il faut que je m'en retourne tout à l'heure*. Je...

DOM JUAN, *se levant.* – Allons, vite un flambeau pour conduire Monsieur Dimanche, et que quatre ou cinq de mes gens prennent des mousquetons pour l'escorter.

M. DIMANCHE, *se levant de même.* – Monsieur, il n'est pas nécessaire, et je m'en irai bien tout seul. Mais...

Sganarelle ôte les sièges promptement.

DOM JUAN. – Comment ? Je veux qu'on vous escorte, et je m'intéresse trop à votre personne, je suis votre serviteur, et de plus votre débiteur.

M. DIMANCHE. – Ah, Monsieur...

DOM JUAN. – C'est une chose que je ne cache pas, et je le dis à tout le monde.

M. DIMANCHE. – Si...

DOM JUAN. – Voulez-vous que je vous reconduise ?

M. DIMANCHE. – Ah, Monsieur, vous vous moquez. Monsieur...

DOM JUAN. – Embrassez-moi donc, s'il vous plaît ; je vous prie encore une fois d'être persuadé que je suis tout à vous, et qu'il n'y a rien au monde que je ne fisse pour votre service. *(Il sort.)*

SGANARELLE. – Il faut avouer que vous avez en Monsieur un homme qui vous aime bien.

M. DIMANCHE. – Il est vrai, il me fait tant de civilités et tant de compliments que je ne saurais jamais lui demander de l'argent.

SGANARELLE. – Je vous assure que toute sa maison périrait pour vous, et je voudrais qu'il vous arrivât quelque chose, que quelqu'un s'avisât de vous donner des coups de bâton, vous verriez de quelle manière...

M. DIMANCHE. – Je le crois, mais, Sganarelle, je vous prie de lui dire un petit mot de mon argent.

SGANARELLE. – Oh, ne vous mettez pas en peine. Il vous paiera le mieux du monde.

M. DIMANCHE. – Mais vous, Sganarelle, vous me devez quelque chose en votre particulier.

SGANARELLE. – Fi, ne parlez pas de cela.

M. DIMANCHE. – Comment ? Je...

SGANARELLE. – Ne sais-je pas bien que je vous dois ?

M. DIMANCHE. – Oui, mais...

SGANARELLE. – Allons, Monsieur Dimanche, je vais vous éclairer.

M. DIMANCHE. – Mais mon argent...

SGANARELLE, *prenant Monsieur Dimanche par le bras.* – Vous moquez-vous ?

M. DIMANCHE. – Je veux...

SGANARELLE, *le tirant.* – Eh.

M. DIMANCHE. – J'entends...

SGANARELLE, *le poussant.* – Bagatelles.

M. DIMANCHE. – Mais...

SGANARELLE, *le poussant.* – Fi.

M. DIMANCHE. – Je...

SGANARELLE, *le poussant tout à fait hors du théâtre.* – Fi, vous dis-je.

Scène IV
DOM LOUIS, DOM JUAN, LA VIOLETTE, SGANARELLE

LA VIOLETTE. – Monsieur, voilà Monsieur votre père.

DOM JUAN. – Ah, me voici bien, il me fallait cette visite pour me faire enrager.

DOM LOUIS. – Je vois bien que je vous embarrasse, et que vous vous passeriez fort aisément de ma venue. À dire vrai, nous nous incommodons étrangement* l'un et l'autre, et si vous êtes las de me voir, je suis bien las aussi de vos déportements*. Hélas, que nous savons peu

ce que nous faisons, quand nous ne laissons pas au Ciel
le soin des choses qu'il nous faut, quand nous voulons
être plus avisés que lui, et que nous venons à l'importuner
par nos souhaits aveugles, et nos demandes inconsidé-
rées ! J'ai souhaité un fils avec des ardeurs nonpareilles,
je l'ai demandé sans relâche avec des transports*
incroyables, et ce fils que j'obtiens, en fatiguant le Ciel
de vœux, est le chagrin et le supplice de cette vie même
dont je croyais qu'il devait être la joie et la consolation.
De quel œil, à votre avis, pensez-vous que je puisse voir
cet amas d'actions indignes dont on a peine aux yeux du
monde d'adoucir le mauvais visage*, cette suite conti-
nuelle de méchantes affaires, qui nous réduisent à toutes
heures à lasser les bontés du Souverain, et qui ont épuisé
auprès de lui le mérite de mes services, et le crédit de
mes amis ? Ah, quelle bassesse est la vôtre ! Ne rougis-
sez-vous point de mériter si peu votre naissance ? Êtes-
vous en droit, dites-moi, d'en tirer quelque vanité ? Et
qu'avez-vous fait dans le monde pour être gentilhomme ?
Croyez-vous qu'il suffise d'en porter le nom et les
armes*, et que ce nous soit une gloire d'être sorti d'un
sang noble, lorsque nous vivons en infâmes ? Non, non,
la naissance n'est rien où la vertu n'est pas. Aussi nous
n'avons part à la gloire de nos ancêtres, qu'autant que
nous nous efforçons de leur ressembler, et cet éclat de
leurs actions qu'ils répandent sur nous nous impose un
engagement de leur faire le même honneur, de suivre les
pas qu'ils nous tracent, et de ne point dégénérer de leurs
vertus, si nous voulons être estimés leurs véritables
descendants. Ainsi vous descendez en vain des aïeux dont
vous êtes né, ils vous désavouent pour leur sang ¹, et tout
ce qu'ils ont fait d'illustre ne vous donne aucun avantage,
au contraire, l'éclat n'en rejaillit sur vous qu'à votre
déshonneur, et leur gloire est un flambeau qui éclaire aux
yeux d'un chacun la honte de vos actions. Apprenez enfin
qu'un gentilhomme qui vit mal est un monstre dans la
nature, que la vertu est le premier titre de noblesse, que
je regarde bien moins au nom qu'on signe, qu'aux actions

---

1 *Ils vous désavouent pour leur sang* : ils ne veulent pas reconnaître
en vous leur descendant.

qu'on fait, et que je ferais plus d'état* du fils d'un crocheteur [1], qui serait honnête homme, que du fils d'un
monarque qui vivrait comme vous.

Dom Juan. – Monsieur, si vous étiez assis, vous en
seriez mieux pour parler.

Dom Louis. – Non, insolent, je ne veux point m'as-
seoir, ni parler davantage, et je vois bien que toutes mes
paroles ne font rien sur ton âme ; mais sache, fils indigne,
que la tendresse paternelle est poussée à bout par tes
actions, que je saurai, plus tôt que tu ne penses, mettre
une borne à tes dérèglements, prévenir sur toi le courroux
du Ciel [2], et laver par ta punition la honte de t'avoir fait
naître. *(Il sort.)*

Scène V
Dom Juan, Sganarelle

Dom Juan. – Eh, mourez le plus tôt que vous pourrez,
c'est le mieux que vous puissiez faire. Il faut que chacun
ait son tour, et j'enrage de voir des pères qui vivent autant
que leurs fils. *(Il se met dans son fauteuil.)*

Sganarelle. – Ah, Monsieur, vous avez tort.

Dom Juan. – J'ai tort ?

Sganarelle. – Monsieur.

Dom Juan *se lève de son siège*. – J'ai tort ?

Sganarelle. – Oui, Monsieur, vous avez tort d'avoir
souffert ce qu'il vous a dit, et vous le deviez mettre
dehors par les épaules*. A-t-on jamais rien vu de plus
impertinent ? Un père venir faire des remontrances à son
fils, et lui dire de corriger ses actions, de se ressouvenir
de sa naissance, de mener une vie d'honnête homme, et
cent autres sottises de pareille nature. Cela se peut-il souf-

---

1. *Un crocheteur* : « un portefaix qui transporte des fardeaux sur des
crochets » (*Dictionnaire* de Furetière) ; ces crochets sont de petits croi-
sillons de bois attachés sur le dos par des bretelles, qui permettent de
transporter meubles et marchandises. On voit qu'il s'agit d'un emploi
particulièrement humble, ce qui rend l'opposition de Dom Louis plus
frappante.
2. *Prévenir sur toi le courroux du Ciel* : devancer (par ma punition) le
châtiment que le Ciel te réserve.

frir à ¹ un homme comme vous, qui savez comme il faut vivre ? J'admire votre patience, et si j'avais été en votre place, je l'aurais envoyé promener. O complaisance maudite, à quoi me réduis-tu ?

DOM JUAN. – Me fera-t-on souper bientôt ?

Scène VI
DOM JUAN, DONE ELVIRE,
RAGOTIN, SGANARELLE

RAGOTIN. – Monsieur, voici une dame voilée qui vient vous parler.

DOM JUAN. – Que pourrait-ce être ?

SGANARELLE. – Il faut voir.

DONE ELVIRE. – Ne soyez point surpris, Dom Juan, de me voir à cette heure et dans cet équipage ². C'est un motif pressant qui m'oblige à cette visite, et ce que j'ai à vous dire ne veut point du tout de retardement. Je ne viens point ici pleine de ce courroux que j'ai tantôt fait éclater, et vous me voyez bien changée de ce que j'étais ce matin. Ce n'est plus cette Done Elvire qui faisait des vœux contre vous, et dont l'âme irritée ne jetait que menaces, et ne respirait que vengeance. Le Ciel a banni de mon âme toutes ces indignes ardeurs que je sentais pour vous, tous ces transports* tumultueux d'un attachement criminel, tous ces honteux emportements d'un amour terrestre et grossier, et il n'a laissé dans mon cœur pour vous qu'une flamme épurée de tout le commerce des sens ³, une tendresse toute sainte, un amour détaché

---

1 *Cela se peut-il souffrir à* : cela peut-il être toléré par

2. *Équipage* : tenue vestimentaire Comparer avec la première apparition d'Elvire (I, III), déjà marquée par une discordance vestimentaire : Elvire faisant irruption sur scène en tenue de voyage témoignait de la violence irraisonnée d'un amour mêlé de ressentiment ; ici, pénétrant voilée chez Dom Juan, elle manifeste l'ardeur réfléchie de la charité chrétienne.

3. *Il n'a laissé dans mon cœur pour vous qu'une flamme épurée de tout le commerce des sens*. Mélange de vocabulaire galant et religieux : il n'a laissé dans mon cœur qu'un amour épuré, purifié, dissocié de toute relation sensuelle.

de tout, qui n'agit point pour soi, et ne se met en peine que de votre intérêt.

DOM JUAN, *à Sganarelle*. – Tu pleures, je pense.

SGANARELLE. – Pardonnez-moi.

DONE ELVIRE. – C'est ce parfait et pur amour qui me conduit ici pour votre bien, pour vous faire part d'un avis du Ciel, et tâcher de vous retirer du précipice où vous courez. Oui, Dom Juan, je sais tous les dérèglements de votre vie, et ce même Ciel qui m'a touché le cœur, et fait jeter les yeux sur les égarements de ma conduite, m'a inspiré de vous venir trouver, et de vous dire de sa part que vos offenses ont épuisé sa miséricorde [1], que sa colère redoutable est prête [2] de tomber sur vous, qu'il est en vous [3] de l'éviter par un prompt repentir, et que peut-être vous n'avez pas encore un jour à vous pouvoir soustraire au plus grand de tous les malheurs. Pour moi, je ne tiens plus à vous par aucun attachement du monde [4]. Je suis revenue, grâces au Ciel, de toutes mes folles pensées, ma retraite* est résolue, et je ne demande qu'assez de vie pour pouvoir expier la faute que j'ai faite, et mériter par une austère pénitence le pardon de l'aveuglement où m'ont plongée les transports* d'une passion condamnable ; mais dans cette retraite, j'aurais une douleur extrême qu'une personne que j'ai chérie tendrement devînt un exemple funeste de la justice du Ciel, et ce me sera une joie incroyable si je puis vous porter à détourner de dessus votre tête l'épouvantable coup qui vous menace. De grâce, Dom Juan, accordez-moi pour dernière faveur cette douce consolation, ne me refusez point votre

---

1. On trouve dans l'argumentation d'Elvire un long développement sur le problème religieux de l'endurcissement dans le péché (voir le Dossier, p. 174-175) : Elvire signifie à Dom Juan que le moment est bientôt venu où il aura *épuisé la miséricorde* de Dieu (c'est-à-dire la capacité de Dieu à pardonner ses péchés), perdant dès lors toute chance d'assurer le salut de son âme, et courant irrémédiablement vers le précipice de la damnation.

2. *Est prête* : est sur le point de.

3. *Il est en vous* : il est en votre pouvoir.

4. *Je ne tiens plus à vous par aucun attachement du monde* : Elvire reprend ici l'idée, développée dans sa précédente tirade, selon laquelle elle n'éprouve plus pour Dom Juan un amour terrestre, mais seulement un intérêt de compassion et de charité.

salut, que je vous demande avec larmes, et si vous n'êtes point touché de votre intérêt, soyez-le au moins de mes prières, et m'épargnez [1] le cruel déplaisir de vous voir condamner à des supplices éternels.

SGANARELLE. – Pauvre femme !

DONE ELVIRE. – Je vous ai aimé avec une tendresse extrême, rien au monde ne m'a été si cher que vous, j'ai oublié mon devoir pour vous, j'ai fait toutes choses pour vous, et toute la récompense que je vous en demande, c'est de corriger votre vie, et de prévenir* votre perte. Sauvez-vous je vous prie, ou pour l'amour de vous, ou pour l'amour de moi. Encore une fois, Dom Juan, je vous le demande avec larmes, et si ce n'est assez des larmes d'une personne que vous avez aimée, je vous en conjure par tout ce qui est le plus capable de vous toucher.

SGANARELLE. – Cœur de tigre !

DONE ELVIRE. – Je m'en vais après ce discours, et voilà tout ce que j'avais à vous dire.

DOM JUAN. – Madame, il est tard, demeurez ici, on vous y logera le mieux qu'on pourra.

DONE ELVIRE. – Non, Dom Juan, ne me retenez pas davantage.

DOM JUAN. – Madame, vous me ferez plaisir de demeurer, je vous assure.

DONE ELVIRE. – Non, vous dis-je, ne perdons point de temps en discours superflus, laissez-moi vite aller, ne faites aucune instance [2] pour me conduire, et songez seulement à profiter de mon avis.

Scène VII
DOM JUAN, SGANARELLE, SUITE

DOM JUAN. – Sais-tu bien que j'ai encore senti quelque peu d'émotion pour elle, que j'ai trouvé de l'agrément dans cette nouveauté bizarre, et que son habit négligé,

---

1. *M'épargnez* : épargnez-moi.
2. *Ne faites aucune instance* : ne témoignez d'aucun empressement, d'aucune insistance ; sous-entendu : ne vous occupez plus de moi, ne songez plus qu'à vous et à votre salut.

son air languissant, et ses larmes ont réveillé en moi quelques petits restes d'un feu éteint.

SGANARELLE. — C'est-à-dire que ses paroles n'ont fait aucun effet sur vous [1].

DOM JUAN. — Vite, à souper.

SGANARELLE. — Fort bien.

DOM JUAN, *se mettant à table.* — Sganarelle, il faut songer à s'amender pourtant.

SGANARELLE. — Oui-da.

DOM JUAN. — Oui, ma foi, il faut s'amender, encore vingt ou trente ans de cette vie-ci, et puis nous songerons à nous [2].

SGANARELLE. — Oh.

DOM JUAN. — Qu'en dis-tu ?

SGANARELLE. — Rien, voilà le souper.

*Il prend un morceau d'un des plats qu'on apporte
et le met dans sa bouche.*

DOM JUAN. — Il me semble que tu as la joue enflée, qu'est-ce que c'est ? parle donc, qu'as-tu là ?

SGANARELLE. — Rien.

DOM JUAN. — Montre un peu, parbleu, c'est une fluxion qui lui est tombée sur la joue, vite une lancette pour percer cela. Le pauvre garçon n'en peut plus, et cet abcès le pourrait étouffer ; attends, voyez comme il était mûr. Ah ! coquin que vous êtes.

SGANARELLE. — Ma foi, Monsieur, je voulais voir si votre cuisinier n'avait point mis trop de sel ou trop de poivre.

DOM JUAN. — Allons, mets-toi là, et mange. J'ai affaire de toi quand j'aurai soupé. Tu as faim à ce que je vois.

---

1. Autrement dit : Dom Juan a été charmé par Elvire, dont la sincérité et les larmes lui ont semblé pleines de séduction – mais il n'a prêté aucune attention au sens de son discours, et à ses avertissements
2. C'est dans toute la pièce la seule réplique où Dom Juan émet – sans doute ironiquement... – l'idée qu'il puisse un jour se convertir, c'est-à-dire amender sa conduite : on pourrait y voir un écho de la ritournelle de la pièce de Tirso de Molina, « Bien lointaine est votre échéance ! » (voir le Dossier, p. 135) – s'il n'était improbable que Molière ait eu une connaissance directe de cette pièce espagnole.

SGANARELLE *se met à table.* – Je le crois bien, Monsieur, je n'ai point mangé depuis ce matin. Tâtez de cela, voilà qui est le meilleur du monde. (*Un laquais ôte les assiettes de Sganarelle d'abord* qu'il y a dessus à manger.*) Mon assiette, mon assiette ! Tout doux, s'il vous plaît. Vertubleu, petit compère, que vous êtes habile à donner des assiettes nettes*, et vous, petit la Violette, que vous savez présenter à boire à propos !

> *Pendant qu'un laquais donne à boire à Sganarelle, l'autre laquais ôte encore son assiette* [1].

DOM JUAN. – Qui peut frapper de cette sorte ?

SGANARELLE. – Qui diable nous vient troubler dans notre repas ?

DOM JUAN. – Je veux souper en repos au moins, et qu'on ne laisse entrer personne.

SGANARELLE. – Laissez-moi faire, je m'y en vais moi-même.

DOM JUAN. – Qu'est-ce donc ? Qu'y a-t-il ?

SGANARELLE, *baissant la tête comme a fait la Statue.* – Le... qui est là !

DOM JUAN. – Allons voir, et montrons que rien ne me saurait ébranler.

SGANARELLE. – Ah, pauvre Sganarelle, où te cacheras-tu ?

---

1. Toute cette petite scène, détachée de l'intrigue proprement dite, est agrémentée d'effets comiques visuels, que nous évoquent les didascalies, et que vante un programme pour la pièce imprimé en province : « Sganarelle n'oublie rien de ce qui peut faire rire et par ses postures italiennes divertit son maître, qui se voit contraint par son impatience de le faire manger avec lui. » Par *postures italiennes*, il faut comprendre un jeu de scène inspiré de la *commedia dell'arte*. Toutes ces bouffonneries rendent, par contraste, l'arrivée du Commandeur encore plus solennelle.

Scène VIII
DOM JUAN, LA STATUE DU COMMANDEUR,
qui vient se mettre à table,
SGANARELLE, SUITE

DOM JUAN. – Une chaise et un couvert, vite donc. (*À Sganarelle.*) Allons, mets-toi à table.

SGANARELLE. – Monsieur, je n'ai plus de faim.

DOM JUAN. – Mets-toi là te dis-je. À boire. À la santé du Commandeur ; je te la porte [1], Sganarelle. Qu'on lui donne du vin.

SGANARELLE. – Monsieur, je n'ai pas soif.

DOM JUAN. – Bois et chante ta chanson pour régaler* le Commandeur.

SGANARELLE. – Je suis enrhumé, Monsieur.

DOM JUAN. – Il n'importe, allons. Vous autres venez, accompagnez sa voix.

LA STATUE. – Dom Juan, c'est assez, je vous invite à venir demain souper avec moi, en aurez-vous le courage ?

DOM JUAN. – Oui, j'irai accompagné du seul Sganarelle.

SGANARELLE. – Je vous rends grâce, il est demain jeûne pour moi [2].

DOM JUAN, *à Sganarelle.* – Prends ce flambeau.

LA STATUE. – On n'a pas besoin de lumière, quand on est conduit par le Ciel.

---

1 *Je te la porte* : je bois avec toi à sa santé

2. *Je vous rends grâce, il est demain jeûne pour moi* : je vous remercie bien, mais demain je fais jeûne...

ACTE V[1]

Scène première
DOM LOUIS, DOM JUAN, SGANARELLE

DOM LOUIS. – Quoi, mon fils, serait-il possible que la
bonté du Ciel eût exaucé mes vœux ? Ce que vous me
dites est-il bien vrai ? ne m'abusez-vous point d'un faux
espoir, et puis-je prendre quelque assurance sur la nouveauté surprenante d'une telle conversion[2] ?

DOM JUAN, *faisant l'hypocrite.* – Oui, vous me voyez
revenu de toutes mes erreurs, je ne suis plus le même
d'hier au soir, et le Ciel tout d'un coup a fait en moi un
changement qui va surprendre tout le monde. Il a touché
mon âme, et dessillé* mes yeux, et je regarde avec horreur le long aveuglement où j'ai été et les désordres criminels de la vie que j'ai menée. J'en repasse dans mon
esprit toutes les abominations, et m'étonne comme le Ciel
les a pu souffrir si longtemps, et n'a pas vingt fois sur
ma tête laissé tomber les coups de sa justice redoutable.
Je vois les grâces que sa bonté m'a faites en ne me punis-
sant point de mes crimes, et je prétends en profiter comme
je dois, faire éclater* aux yeux du monde un soudain
changement de vie, réparer par là le scandale[3] de mes

---

1 Le décor de ce dernier acte représente une ville.
2. *Conversion.* Le terme a un sens théologique très précis : « changement que Dieu opère dans le cœur d'un pécheur, et par lequel il l'attire
à soi » (*Dictionnaire* de Richelet). Ce changement, qui dépend aussi du
libre-arbitre du pécheur, consiste à revenir à une vie conforme aux
principes de la religion, et surtout à se repentir sur ses fautes passées :
ce que Dom Juan feint d'accomplir dans la tirade suivante... Voir aussi
le Dossier, p 175-176.
3. *Scandale* possède ici un sens religieux très précis, et très fort :

actions passées, et m'efforcer d'en obtenir du Ciel une pleine rémission. C'est à quoi je vais travailler, et je vous prie, Monsieur, de vouloir bien contribuer à ce dessein, et de m'aider vous-même à faire choix d'une personne qui me serve de guide [1], et sous la conduite de qui je puisse marcher sûrement dans le chemin où je m'en vais entrer.

Dom Louis. – Ah, mon fils, que la tendresse d'un père est aisément rappelée, et que les offenses d'un fils s'évanouissent vite au moindre mot de repentir ! Je ne me souviens plus déjà de tous les déplaisirs que vous m'avez donnés, et tout est effacé par les paroles que vous venez de me faire entendre. Je ne me sens* pas, je l'avoue, je jette des larmes de joie, tous mes vœux sont satisfaits, et je n'ai plus rien désormais à demander au Ciel. Embrassez-moi, mon fils, et persistez, je vous conjure, dans cette louable pensée. Pour moi, j'en vais tout de ce pas porter l'heureuse nouvelle à votre mère, partager avec elle les doux transports* du ravissement où je suis, et rendre grâce au Ciel des saintes résolutions qu'il a daigné vous inspirer.

« action ou exemple qui donne aux autres occasion de pécher ». Dom Juan feint ainsi de dénoncer tout ce que sa conduite passée avait d'impie ; par là, il espère que le Ciel lui en accordera le pardon (la *rémission*)

1. Ce *guide*, véritable conseiller spirituel, est ce que l'on nommait un directeur de conscience, c'est-à-dire un membre du clergé entre les mains de qui l'on remet la conduite de sa vie. Rappelons que c'était précisément le rôle que Tartuffe remplissait auprès d'Orgon : faut-il voir là une allusion directe de Molière à une pièce qui fit l'objet de si vives attaques, et dont le début du Vᵉ acte de *Dom Juan* semble comme le prolongement, le post-scriptum ? Sur ce point, on se reportera à la Présentation, p. 26-28. Il y a peut-être dans cette phrase, par anticipation, un effet de discrète ironie de la part de Molière, puisque le véritable *guide* de Dom Juan sera finalement la statue de Commandeur, qui l'entraînera en Enfer .

Scène II
Dom Juan, Sganarelle

SGANARELLE. — Ah, Monsieur, que j'ai de joie de vous voir converti ! Il y a longtemps que j'attendais cela, et voilà, grâce au Ciel, tous mes souhaits accomplis.

DOM JUAN. — La peste, le benêt*.

SGANARELLE. — Comment, le benêt ?

DOM JUAN. — Quoi ? tu prends pour de bon argent* ce que je viens de dire, et tu crois que ma bouche était d'accord avec mon cœur ?

SGANARELLE. — Quoi, ce n'est pas... vous ne... votre... oh quel homme ! quel homme ! quel homme !

DOM JUAN. — Non, non, je ne suis point changé, et mes sentiments sont toujours les mêmes.

SGANARELLE. — Vous ne vous rendez* pas à la surprenante merveille de cette Statue mouvante et parlante ?

DOM JUAN. — Il y a bien quelque chose là-dedans que je ne comprends pas, mais quoi que ce puisse être, cela n'est pas capable, ni de convaincre mon esprit, ni d'ébranler mon âme, et si j'ai dit que je voulais corriger ma conduite, et me jeter dans un train de vie exemplaire, c'est un dessein que j'ai formé par pure politique*, un stratagème utile, une grimace* nécessaire, où ¹ je veux me contraindre pour ménager un père dont j'ai besoin, et me mettre à couvert du côté des hommes de cent fâcheuses aventures qui pourraient m'arriver. Je veux bien, Sganarelle, t'en faire confidence, et je suis bien aise d'avoir un témoin du fond de mon âme et des véritables motifs qui m'obligent à faire les choses.

SGANARELLE. — Quoi ? vous ne croyez rien du tout, et vous voulez cependant vous ériger en homme de bien ?

DOM JUAN. — Et pourquoi non ? Il y en a tant d'autres comme moi qui se mêlent de ce métier, et qui se servent du même masque pour abuser* le monde.

SGANARELLE. — Ah, quel homme ! quel homme !

DOM JUAN. — Il n'y a plus de honte maintenant à cela, l'hypocrisie est un vice à la mode, et tous les vices à la

---

1. *Où* : à laquelle.

mode passent pour vertus. Le personnage d'homme de
bien est le meilleur de tous les personnages qu'on puisse
jouer aujourd'hui, et la profession d'hypocrite a de merveilleux avantages. C'est un art de qui [1] l'imposture est
toujours respectée, et quoiqu'on la découvre, on n'ose
rien dire contre elle. Tous les autres vices des hommes
sont exposés à la censure*, et chacun a la liberté de les
attaquer hautement, mais l'hypocrisie est un vice privi-
légié, qui de sa main ferme la bouche à tout le monde,
et jouit en repos d'une impunité souveraine. On lie à force
de grimaces* une société étroite avec tous les gens du
parti [2] ; qui en choque* un, se les jette tous sur les bras,
et ceux que l'on sait même agir de bonne foi là-dessus,
et que chacun connaît pour être véritablement touchés [3] :
ceux-là, dis-je, sont toujours les dupes des autres, ils
donnent hautement dans le panneau des grimaciers [4], et
appuient aveuglément les singes de leurs actions.
Combien crois-tu que j'en connaisse, qui par ce stratagème ont rhabillé [5] adroitement les désordres de leur jeu-

---

1. *De qui* : dont.
2. *Tous les gens du parti* : par cette expression elliptique, Molière
attaque le parti des dévots, ou plus précisément des *faux* dévots : c'est-
à-dire un certain nombre de sociétés et d'associations soupçonnées, sous
des dehors de piété et de religion, de viser en fait uniquement à étendre
leurs ramifications et leur influence dans les sphères du pouvoir (le
terme de *cabale*, employé un peu plus loin, est synonyme de *parti*)
Tartuffe est évidemment l'exemple-type d'une telle conduite, d'autant
plus odieuse qu'elle emprunte le masque de la charité pour voiler un
égoïsme extrême et la poursuite d'intérêts personnels. Ainsi, l'éloge de
l'hypocrisie par le personnage de Dom Juan doit apparaître comme la
plus vive des attaques de Molière contre ses ennemis du parti dévot :
le dramaturge y montre que leur piété de façade peut parfois cacher
même l'impiété la plus noire. .
3 *Véritablement touchés* : touchés d'une dévotion sincère. Molière
prend soin de distinguer ici entre les faux dévots, cyniques qui abusent
volontairement le monde, et les dévots sincères qui deviennent de fait
les complices involontaires des agissements des premiers, dont ils ne
soupçonnent pas les motifs véritables.
4. *Ils donnent hautement dans le panneau des grimaciers* : ils se
laissent complètement abuser par les hypocrites.
5 *Ont rhabillé* : ont dissimulé, ont fait oublier. On peut voir ici, peut-
être, derrière la généralité du propos, une allusion au Prince de Conti
(1629-1666) : cet important personnage avait été un moment le protecteur de la troupe de Molière (1653), alors qu'il menait lui-même la vie

nesse, qui se sont fait un bouclier du manteau de la religion, et sous cet habit respecté ont la permission d'être
les plus méchants hommes du monde ? On a beau savoir
leurs intrigues, et les connaître pour ce qu'ils sont, ils ne
laissent pas pour cela d'être en crédit parmi les gens, et
quelque baissement de tête, un soupir mortifié [1], et deux
roulements d'yeux rajustent dans le monde tout ce qu'ils
peuvent faire. C'est sous cet abri favorable que je veux
me sauver et mettre en sûreté mes affaires. Je ne quitterai
point mes douces habitudes, mais j'aurai soin de me
cacher, et me divertirai à petit bruit. Que si [2] je viens à
être découvert, je verrai sans me remuer prendre mes intérêts à toute la cabale, et je serai défendu par elle envers
et contre tous. Enfin, c'est là le vrai moyen de faire impunément tout ce que je voudrai. Je m'érigerai en censeur
des actions d'autrui, jugerai* mal de tout le monde, et
n'aurai bonne opinion que de moi. Dès qu'une fois on
m'aura choqué tant soit peu, je ne pardonnerai jamais, et
garderai tout doucement* une haine irréconciliable. Je
ferai le vengeur des intérêts du Ciel, et sous ce prétexte
commode, je pousserai* mes ennemis, je les accuserai
d'impiété, et saurai déchaîner contre eux des zélés indis-

---

d'un débauché, d'un libertin, d'un « grand seigneur méchant homme » ;
mais en 1657, il se convertit brusquement, pour mener une vie marquée,
au moins en apparence, par une extrême dévotion A ce titre, il s'en
prit violemment au théâtre, divertissement « criminel » parce qu'immoral ; avec les membres de la Compagnie du Saint-Sacrement –
modèle, sans doute, de la cabale et du parti dénoncés dans la présente
tirade –, il devint l'un des ennemis irréductibles de son ancien protégé ;
il publia même un *Traité de la comédie*, condamnation sans appel de
sa passion de jeunesse. Ce traité, connu dès 1658, ne fut publié qu'en
1666, après la mort de Conti ; il contient de violentes attaques contre
L'École des femmes.. et contre *Dom Juan* (voir le Dossier, p. 183).
Certains critiques ont même voulu voir en Conti le « modèle » dont
Molière se serait inspiré pour créer le personnage de Dom Juan : pure
supposition, et vision un peu réductrice de la création littéraire, qui se
contente rarement de copier servilement la réalité.
1 *Un soupir mortifié* : le soupir d'un dévot qui s'inflige des mortifi-
cations, c'est-à-dire des punitions physiques pour ses péchés : en jeû-
nant ; ou, comme Tartuffe, soi-disant, en se flagellant avec une discipline
(fouet fait de fines cordelettes) et en portant une haire (grossière chemise de
crin) .
2 *Que si* . et si.

crets [1], qui sans connaissance de cause crieront en public contre eux, qui les accableront d'injures, et les damneront hautement de leur autorité privée. C'est ainsi qu'il faut profiter des faiblesses des hommes, et qu'un sage esprit s'accommode aux vices de son siècle.

SGANARELLE. – O Ciel ! qu'entends-je ici ? Il ne vous manquait plus que d'être hypocrite pour vous achever de tout point [2], et voilà le comble des abominations. Monsieur, cette dernière-ci m'emporte, et je ne puis m'empêcher de parler. Faites-moi tout ce qu'il vous plaira, battez-moi, assommez-moi de coups, tuez-moi, si vous voulez, il faut que je décharge mon cœur, et qu'en valet fidèle je vous dise ce que je dois. Sachez, Monsieur, que tant va la cruche à l'eau, qu'enfin elle se brise : et comme dit fort bien cet auteur que je ne connais pas, l'homme est en ce monde ainsi que l'oiseau sur la branche, la branche est attachée à l'arbre, qui s'attache à l'arbre suit de bons préceptes, les bons préceptes valent mieux que les belles paroles, les belles paroles se trouvent à la Cour. À la Cour sont les courtisans, les courtisans suivent la mode, la mode vient de la fantaisie*, la fantaisie est une faculté de l'âme, l'âme est ce qui nous donne la vie, la vie finit par la mort, la mort nous fait penser au Ciel, le Ciel est au-dessus de la terre, la terre n'est point la mer, la mer est sujette aux orages, les orages tourmentent les vaisseaux, les vaisseaux ont besoin d'un bon pilote, un bon pilote a de la prudence, la prudence n'est point dans les jeunes gens, les jeunes gens doivent obéissance aux vieux, les vieux aiment les richesses, les richesses font les riches, les riches ne sont pas pauvres, les pauvres ont de la nécessité, nécessité n'a point de loi, qui n'a point de loi vit en bête brute, et par conséquent vous serez damné à tous les diables [3].

_____

1. *Des zélés indiscrets* : des fanatiques aveugles ; *indiscret* qualifie, selon le *Dictionnaire* de Furetière, « celui qui agit par passion, sans considérer ce qu'il dit ni ce qu'il fait ».

2. *Pour vous achever de tout point* : pour vous accomplir tout à fait (sous-entendu : dans votre conduite débauchée et impie). Sganarelle souligne ainsi que l'hypocrisie est le dernier degré du vice et de l'impiété.

3. On aurait attendu, après l'éloge cynique de l'hypocrisie, une der-

DOM JUAN. – O le beau raisonnement !

SGANARELLE. – Après cela, si vous ne vous rendez*, tant pis pour vous.

Scène III
DOM CARLOS, DOM JUAN, SGANARELLE

DOM CARLOS. – Dom Juan, je vous trouve à propos, et suis bien aise de vous parler ici plutôt que chez vous, pour vous demander vos résolutions*. Vous savez que ce soin me regarde, et que je me suis en votre présence chargé de cette affaire. Pour moi, je ne le cèle point, je souhaite fort que les choses aillent dans la douceur, et il n'y a rien que je ne fasse pour porter votre esprit à vouloir prendre cette voie, et pour vous voir publiquement confirmer à ma sœur le nom de votre femme.

DOM JUAN, *d'un ton hypocrite.* – Hélas ! je voudrais bien de tout mon cœur vous donner la satisfaction que vous souhaitez, mais le Ciel s'y oppose directement, il a inspiré à mon âme le dessein de changer de vie, et je n'ai point d'autres pensées maintenant que de quitter entièrement tous les attachements du monde, de me dépouiller au plus tôt de toutes sortes de vanités, et de corriger désormais par une austère conduite tous les dérèglements criminels où m'a porté le feu d'une aveugle jeunesse.

DOM CARLOS. – Ce dessein, Dom Juan, ne choque* point ce que je dis, et la compagnie d'une femme légitime peut bien s'accommoder avec les louables pensées que le Ciel vous inspire.

DOM JUAN. – Hélas point du tout, c'est un dessein que votre sœur elle-même a pris, elle a résolu sa retraite, et nous avons été touchés* tous deux en même temps.

---

nière mise en garde à l'adresse de Dom Juan : mais Sganarelle, incapable, comme on l'a vu, de construire un raisonnement ou une argumentation, se contente de mettre bout à bout des lieux communs et des proverbes pour « prouver » à son maître que c'est la damnation qui le guette infailliblement. On s'est évidemment scandalisé, en 1664, d'une parodie de discours édifiant aussi bouffonne, recourant au comique verbal de la fatrasie.

DOM CARLOS. – Sa retraite ne peut nous satisfaire, pouvant être imputée au mépris que vous feriez d'elle et de notre famille, et notre honneur demande qu'elle vive avec vous.

DOM JUAN. – Je vous assure que cela ne se peut ; j'en avais pour moi toutes les envies du monde, et je me suis même encore aujourd'hui conseillé* au Ciel pour cela ; mais lorsque je l'ai consulté, j'ai entendu une voix qui m'a dit que je ne devais point songer à votre sœur, et qu'avec elle assurément je ne ferais point mon salut.

DOM CARLOS. – Croyez-vous, Dom Juan, nous éblouir* par ces belles excuses ?

DOM JUAN. – J'obéis à la voix du Ciel.

DOM CARLOS. – Quoi, vous voulez que je me paye d'un semblable discours ?

DOM JUAN. – C'est le Ciel qui le veut ainsi.

DOM CARLOS. – Vous aurez fait sortir ma sœur d'un couvent pour la laisser ensuite ?

DOM JUAN. – Le Ciel l'ordonne de la sorte.

DOM CARLOS. – Nous souffrirons cette tache en notre famille ?

DOM JUAN. – Prenez-vous-en au Ciel.

DOM CARLOS. – Eh quoi, toujours le Ciel ?

DOM JUAN. – Le Ciel le souhaite comme cela.

DOM CARLOS. – Il suffit, Dom Juan, je vous entends [1], ce n'est pas ici que je veux vous prendre, et le lieu ne le souffre pas [2] ; mais avant qu'il soit peu, je saurai vous trouver.

DOM JUAN. – Vous ferez ce que vous voudrez, vous savez que je ne manque point de cœur, et que je sais me servir de mon épée quand il le faut. Je m'en vais passer tout à l'heure dans cette petite rue écartée qui mène au grand couvent, mais je vous déclare pour moi que ce n'est point moi qui me veux battre, le Ciel m'en défend la

---

1. *Je vous entends* : je devine votre ruse.
2. Le décor du théâtre au Vᵉ acte représente une ville, vraisemblablement un carrefour : on ne peut se battre en duel en public (*prendre quelqu'un*, c'est en effet l'affronter en duel), il faut chercher un lieu écarté et plus discret.

pensée, et si vous m'attaquez, nous verrons ce qui en arrivera [1].

Dom Carlos. – Nous verrons, de vrai, nous verrons.

Scène IV
Dom Juan, Sganarelle

Sganarelle. – Monsieur, quel diable de style prenez-vous là ? Ceci est bien pis que le reste, et je vous aimerais bien mieux encore comme vous étiez auparavant, j'espérais toujours de votre salut ; mais c'est maintenant que j'en désespère, et je crois que le Ciel qui vous a souffert jusques ici ne pourra souffrir du tout cette dernière horreur.

Dom Juan. – Va, va, le Ciel n'est pas si exact* que tu penses, et si toutes les fois que les hommes...

Sganarelle. – Ah, Monsieur, c'est le Ciel qui vous parle, et c'est un avis qu'il vous donne.

Dom Juan. – Si le Ciel me donne un avis, il faut qu'il parle un peu plus clairement, s'il veut que je l'entende.

Scène V
Dom Juan, un Spectre, *en femme voilée*, Sganarelle

Le Spectre [2]. – Dom Juan n'a plus qu'un moment à pouvoir profiter de la miséricorde du Ciel, et s'il ne se repent ici, sa perte est résolue.

Sganarelle. – Entendez-vous, Monsieur ?

Dom Juan. – Qui ose tenir ces paroles ? Je crois connaître cette voix.

---

1. Cette façon de fixer rendez-vous pour se battre en duel tout en prétendant le contraire évoque les subtilités et les sophismes de la direction d'intention dénoncés par Pascal dans la septième lettre des *Provinciales*.

2. Ce personnage de femme voilée, qui vient prodiguer à Dom Juan un dernier avertissement et l'inviter une dernière fois à se repentir, évoque évidemment l'apparition d'Elvire, voilée, à la fin de l'acte IV.

SGANARELLE. – Ha, Monsieur, c'est un Spectre, je le reconnais au marcher [1].

DOM JUAN. – Spectre, Fantôme, ou Diable, je veux voir ce que c'est.

Le Spectre change de figure et représente le Temps avec sa faux à la main.

SGANARELLE. – O Ciel ! voyez-vous, Monsieur, ce changement de figure ?

DOM JUAN. – Non, non, rien n'est capable de m'imprimer de la terreur, et je veux éprouver avec mon épée si c'est un corps ou un esprit.

Le Spectre s'envole dans le temps que Dom Juan le veut frapper.

SGANARELLE. – Ah, Monsieur, rendez-vous à tant de preuves, et jetez-vous vite dans le repentir.

DOM JUAN. – Non, non, il ne sera pas dit, quoi qu'il arrive, que je sois capable de me repentir ; allons, suis-moi.

Scène VI
LA STATUE, DOM JUAN, SGANARELLE

LA STATUE. – Arrêtez, Dom Juan, vous m'avez hier donné parole de venir manger avec moi.

DOM JUAN. – Oui, où faut-il aller ?

LA STATUE. – Donnez-moi la main.

DOM JUAN. – La voilà.

LA STATUE. – Dom Juan, l'endurcissement [2] au péché traîne* une mort funeste, et les grâces du Ciel que l'on renvoie ouvrent un chemin à sa foudre.

DOM JUAN. – O Ciel, que sens-je ? un feu invisible me brûle, je n'en puis plus, et tout mon corps devient un brasier ardent, ah !

---

1. *Au marcher* : à sa façon de s'avancer.
2. Voir le Dossier, p. 174-175.

*Le tonnerre tombe avec un grand bruit et de
grands éclairs sur Dom Juan, la terre s'ouvre et
l'abîme, et il sort de grands feux de l'endroit ou
il est tombé.*

SGANARELLE. – [Ah mes gages ! mes gages !] Voilà
par sa mort un chacun satisfait, Ciel offensé, lois violées,
filles séduites, familles déshonorées, parents outragés,
femmes mises à mal, maris poussés à bout, tout le monde
est content ; il n'y a que moi seul de malheureux, qui
après tant d'années de service, n'ai point d'autre récompense que de voir à mes yeux l'impiété de mon maître
punie par le plus épouvantable châtiment du monde. [Mes
gages, mes gages, mes gages !] ¹

---

1 La fin de la pièce, telle qu'elle est ici restituée d'après l'édition
hollandaise de 1683 (passages entre crochets), a choqué : elle mêlait
trop ouvertement le sacré (la damnation de Dom Juan) et le grotesque
(le valet réclamant son argent à son maître englouti en Enfer). L'idée,
pourtant, figurait déjà dans certains modèles italiens dont Molière s'est
inspiré : voir le Dossier, p. 145. Il faut noter que l'édition « officielle »
de 1682 accentue la portée moralisatrice de la dernière tirade de Sganarelle : la fin de l'avant-dernière phrase (« .. *qui, après tant d'années
de service, n'ait point d'autre récompense que de voir à mes yeux
l'impiété de mon maître punie par le plus épouvantable châtiment du
monde* ») est en effet absente de l'édition hollandaise de 1683.

D O S S I E R

1 — Aux origines du « mythe littéraire » : L'Abuseur de Séville

Un jeune homme réfléchi convie à souper un squelette ou une tête de mort ; le jour dit, le spectre se rend au banquet pour inviter en retour son hôte imprudent, qui ne reviendra pas au séjour des morts.

• *On a parfois proposé d'y voir l'œuvre de Lope de Vega ou de Calderón de la Barca, mais l'attribution à Tirso est plus généralement admise.*

On retrouve dans la légende de Don Juan des éléments issus de traditions très anciennes. Certains sont d'origine populaire et orale, comme le conte du « souper chez les morts• » ; d'autres avaient déjà connu une élaboration littéraire, tel le motif de la statue vengeresse. Mais ce n'est que dès l'instant où ces deux thèmes se fondent en une seule intrigue, et où entre en scène, pour leur donner une unité, le personnage du libertin séducteur, du grand seigneur qu'une même ardeur pousse à abuser les femmes qu'il croise et à braver les feux de l'Enfer, que naît vraiment le « mythe » de Don Juan.

Cette conjonction apparaît pour la première fois dans une *comedia* espagnole intitulée *El Burlador de Sevilla* (*L'Abuseur de Séville*), composée vers 1620 et publiée en 1630, à Barcelone. La pièce est attribuée à l'un des grands dramaturges du « Siècle d'Or », Tirso de Molina••, qui ne l'a jamais reconnue ni publiée dans les cinq volumes de ses œuvres. De son vrai nom Gabriel Téllez, Tirso est né à Madrid vers 1580, mort à Almazán en 1648. Entré à vingt ans dans les ordres, il partagea son existence entre la vie monastique et la vie mondaine et littéraire. Il occupa diverses charges importantes dans son couvent et fut envoyé quelques années comme prédicateur à Saint-Domingue (1616-1618).

Fréquentant aussi les milieux des lettres et du théâtre, il fut l'auteur d'une œuvre dramatique immense, fort appréciée du public et souvent audacieuse : elle lui valut, en 1625, d'être traduit devant un tribunal civil veillant sur la pureté des mœurs. L'Espagne de la Contre-Réforme, impitoyable en matière de doctrine, acharnée à poursuivre l'hérésie, se voulait aussi sourcilleuse en matière de morale – même si la sentence prononcée contre Tirso ne fut pas, que l'on sache, suivie d'effet.

Au théâtre, cette époque fut une période d'extraordinaire épanouissement de la *comedia* sous l'impulsion de dramaturges comme Lope de Vega ou Calderón. Le genre ne se confond pas avec ce que désigne le mot de *comédie* dans la littérature française de l'âge classique. Il s'en distingue par un souci moindre de la vraisemblance, ainsi que des unités de temps et de lieu• ; il admet aussi une grande latitude par rapport à l'unité de ton .

Voici les grandes lignes de la pièce de Tirso.

Première journée. À Naples, un soir, Don Juan Ténorio tente d'abuser de la duchesse Isabelle en se faisant passer pour son amant, le duc Octave. Il s'enfuit sans être reconnu, et fait accuser Octave, mais sa fuite se solde par un naufrage. C'est ainsi que sur une plage près de Tarragone, une jeune pêcheuse innocente, Thisbé, ramène dans ses filets Don Juan et son valet Catherinon. Elle leur accorde l'hospitalité – et Don Juan, comme il se doit, profite d'une fête donnée par les pêcheurs pour abuser de Thisbé.

DON JUAN. – Pendant que les pêcheurs font la fête et se réjouissent, toi, apprête les deux

• *L'action est conventionnellement divisée en trois journées, qui forment les trois actes de la pièce ; à l'intérieur de chacune d'elles, les changements de décors sont nombreux.*

•• *Une* comedia *fait alterner le sérieux, le burlesque et même le lyrique grâce à la variété expressive de la versification espagnole – que les traductions restituent rarement*

juments : je ne fie notre tromperie qu'aux ailes de leurs sabots.

CATHERINON. – Enfin, prétends-tu vraiment jouir de la chair de Thisbé ?

DON JUAN. – Si l'abus est ma vieille habitude, que me demandes-tu, sachant mon caractère ?

CATHERINON. – Je sais bien que tu es le châtiment des femmes•.

DON JUAN. – Pour Thisbé je me meurs : c'est une jolie fille.

CATHERINON. – Le beau paiement que tu réserves à son accueil ! [...] Vous qui feignez de cette sorte et qui dupez ainsi les femmes, la mort vous le fera payer.

DON JUAN. – Bien lointaine est votre échéance•• ! [...]

Catherinon s'en va et Thisbé entre en scène.

THISBÉ. – L'instant où je suis sans toi, je ne suis plus en moi-même.

DON JUAN. – Pour de pareils propos, je ne t'accorde aucun crédit.

THISBÉ. – Pourquoi ?

DON JUAN. – Parce que si tu m'aimais, tes faveurs combleraient mon cœur.

THISBÉ. – Je suis tienne.

DON JUAN. – Alors, dis, qu'attends-tu, qu'est-ce qui t'arrête, ma dame ?

THISBÉ. – Je pense que l'amour en toi m'a réservé son châtiment. [...]

DON JUAN. – Se peut-il, mon bien, que tu méconnaisses la sincérité de mon amour ? Aujourd'hui, dans tes cheveux, tu captives mon cœur.

THISBÉ. – Et moi, sur ta parole, à toi je me soumets, si tu me donnes ta main d'époux.

DON JUAN. – Je vous jure, beaux yeux qui d'un regard m'assassinez, que je serai votre mari.

THISBÉ. – Considère, mon bien, qu'il y a Dieu et qu'il y a la mort.

DON JUAN. – Bien lointaine est votre échéance ! Tant que Dieu me prêtera vie, je serai votre esclave. Voici ma main, voici ma foi.

THISBÉ. – À te donner la récompense, je ne me montrerai pas rebelle.

• *L'idée selon laquelle Don Juan est le « châtiment des femmes », qui par sa conduite sournoise les punit de leur immoralité, est essentielle chez Tirso.*

•• *« Bien lointaine est votre échéance ! », autrement dit : qu'importe d'agir de façon immorale, il sera toujours temps de se repentir plus tard... Cette conviction qui guide la conduite de Don Juan est le véritable refrain de la pièce.*

Dossier

Don Juan. – Je ne peux plus me contenir. [...]
Thisbé. – Que cet amour t'engage, et sinon que
Dieu te punisse !
Don Juan. – Bien lointaine est votre
échéance [1] !

Grâce à ses discours hâbleurs, Don Juan
obtient les faveurs de Thisbé ; puis il
s'enfuit après avoir mis le feu à sa chau-
mière. Entre-temps, la scène s'est trans-
portée à Séville où le roi reçoit le
commandeur Don Gonzale pour lui
annoncer qu'il a décidé de marier sa fille,
Doña Ana, à Don Juan.
Deuxième journée. Don Diègue, le père de
Don Juan, a appris le crime commis par
son fils à Naples ; il se confie au roi, qui
ordonne qu'on innocente Octave, que
celui-ci épouse Doña Ana destinée à Don
Juan, tandis que Don Juan épousera Isabelle qu'il a déshonorée.
De retour à Séville, Don Juan rencontre le
marquis de la Mota, qui lui confie qu'il
est amoureux de Doña Ana. Le soir même,
il usurpe l'identité du marquis à un rendez-vous galant, et déshonore Ana ;
découvert, il tue le père de celle-ci – le
commandeur Don Gonzale – et s'enfuit en
faisant accuser Mota. Dans la campagne,
il se joint à une noce de bergers.
Troisième journée. Don Juan ne manque
pas de s'en prendre à la future mariée, la
belle Aminte, et lui propose de l'épouser.
Aminte, désemparée, craint un mensonge ;
elle fait jurer Don Juan, devant Dieu, qu'il
soit damné s'il a menti.
Isabelle, cependant, débarque à Tarragone.
Elle y rencontre Thisbé (qui lui conte son
histoire) et l'invite à la suivre à Séville

---

1. Tirso de Molına, *L'Abuseur de Séville*, traduction
de Pierre Guénoun, Aubier, 1968 ; rééd. 1991, p. 75-79.

pour réclamer vengeance au roi contre Don Juan. Or celui-ci, dans son imprudence, est justement de retour à Séville. Il se cache dans une église ; là, il avise le tombeau du Commandeur qu'il a occis la veille ; par raillerie, il invite la statue à souper. Prodige, celle-ci accepte, et se rend le soir chez Don Juan•.

• *Cette visite surnaturelle est l'un des moments les plus intenses de la pièce ; elle présente un Don Juan qui n'a rien d'un incrédule ou d'un athée, et qui au contraire brûle de curiosité pour les choses de l'au-delà : un personnage dominé surtout par le sens de l'honneur, qui n'accepte la redoutable invitation de la Statue que pour ne pas manquer à sa parole de chevalier.*

CATHERINON. – Le vaillant homme ! Il est en pierre et toi de chair... Mauvaise affaire ! [...] *Tous sortent, sauf Don Juan et la statue du Commandeur qui lui fait signe de fermer la porte.*

DON JUAN. – La porte est bien fermée. Je t'attends maintenant. Dis, que veux-tu, ombre ou fantôme ou vision ? Si ton âme est en peine, ou bien si, pour remède, elle attendait de moi quelque satisfaction, parle, car je te donne ma parole de faire ce que tu voudras. As-tu rejoint les Cieux ? T'ai-je donné la mort alors que tu étais en état de péché ? Hâte-toi de parler : je demeure en suspens.

DON GONZALE *(doucement, comme une chose de l'autre monde)*. – Sauras-tu me tenir ta parole en chevalier ?

DON JUAN. – Je suis homme d'honneur et je tiens mes serments, car je suis chevalier.

DON GONZALE. – Donne-moi cette main, n'aie pas peur.

DON JUAN. – Oses-tu me dire ça ? Moi, peur ? Serais-tu l'enfer en personne, je ne t'en donnerai pas moins la main. *(Il lui donne la main.)*

DON GONZALE. – Sur ta parole et sur ta main, demain soir à dix heures, pour dîner je t'attends. [...] Et tiens-moi ta parole comme je l'ai tenue.

DON JUAN. – Je la tiendrai, te dis-je, car je suis Ténorio.

DON GONZALE. – Moi, je suis Ulloa.

DON JUAN. – J'irai sans faute.

DON GONZALE. – Et je te crois. Adieu. *(Il gagne la porte.)*

DON JUAN. – Attends que je t'éclaire.

DON GONZALE. – Ne m'éclaire pas. Le Seigneur m'accompagne.

Il s'en va pas à pas, en regardant Don Juan, et Don Juan le regardant jusqu'à ce qu'il disparaisse, et Don Juan reste seul, en proie à l'épouvante.

DON JUAN. – Que Dieu me soit en aide ! Mon corps est tout baigné d'une étrange sueur et mon cœur est glacé au fond de ma poitrine. Quand il m'a pris la main, il l'a si fort serrée qu'il semblait la géhenne [1]. Jamais je n'ai senti de semblable chaleur. Il avait une haleine, organisant la voix, si froide qu'on eût cru le souffle de l'enfer... Bah ! Toutes ces idées sont fruits imaginaires. La peur est roturière et la terreur des morts est encore plus vile. Car si l'on ne craint pas un corps noble et vivant, avec ses facultés, son âme et sa raison, que va-t-on redouter des corps cadavériques ? Demain je veux aller jusqu'à cette chapelle où je suis invité, pour que de ma valeur Séville s'émerveille [2] !

Octave, reçu par le roi, sollicite d'affronter Don Juan en duel, pour obtenir réparation de son honneur perdu ; le roi refuse pour protéger la famille Ténorio, et accorde en compensation à Octave la main de Doña Ana. Octave, furieux, rencontre Aminte, à la recherche de Don Juan et encore persuadée qu'il va l'épouser. Mais celui-ci songe à son mariage avec Isabelle, prévu pour le lendemain ; il doit auparavant honorer l'invitation de la Statue. C'est le point culminant de la pièce où Don Juan réalise, alors même qu'il n'est plus temps, que seul le repentir pouvait lui éviter les feux de l'Enfer : ainsi se vérifie le caractère illusoire de la formule « bien lointaine est votre échéance » ! La gravité du

---

1 *La géhenne* : la torture, les souffrances de l'Enfer.
2. Tirso de Molina, *L'Abuseur de Séville*, p 167-171.

moment, cependant, ne conduit pas Tirso à un traitement solennel de cette scène, au contraire : le macabre le plus outré et le grotesque trouvent leur place dans ce dénouement religieux•.

• *Molière, lui, opte pour une conclusion plus sobre – et peut-être, de ce fait, plus impressionnante.*

•• *Don Gonzale, c'est-à-dire le Commandeur statufié.*

DON JUAN. – Maintenant me voici : hâte-toi de me dire ce que tu veux de moi.

DON GONZALE••. – Seulement t'inviter à souper avec moi.

CATHERINON. – Merci pour le souper que l'on nous offre ici ! Il doit se composer de viandes refroidies, puisque je ne vois pas l'ombre d'une cuisine.

DON JUAN. – Soupons.

DON GONZALE. – Pour souper il te faut soulever cette dalle.

DON JUAN. – Et s'il t'importe aussi, je soulèverai ces piliers.

DON GONZALE. – Tu ne manques pas de courage.

DON JUAN (*soulevant par un bout la dalle du tombeau, qui laisse à découvert une table dressée de noir*). – Oui, j'ai de la vigueur et du cœur au ventre.

CATHERINON. – [...] Eh ! n'y a-t-il donc, là-bas, personne qui fasse la lessive ? [...] Met-on chez vous aussi des vêtements de deuil [...] ?

DON GONZALE. – Assieds-toi.

CATHERINON. – Moi, Monsieur ? J'ai bien cassé la croûte cet après-midi.

DON GONZALE. – Ne réplique pas.

CATHERINON. – Je ne réplique pas. Que Dieu me tire en paix de toute cette affaire !... Quel est ce plat, monsieur ?

DON GONZALE. – Ce plat est composé de scorpions et de vipères.

CATHERINON. – Gentil plat••• !

DON GONZALE. – Tels sont nos aliments. Toi, ne manges-tu pas ?

DON JUAN. – Je mangerai, même si tu dois me donner un aspic, et tous les aspics que renferme l'enfer.

DON GONZALE. – Je veux également que l'on chante pour toi. [...]

••• *Un peu plus loin dans cette scène, on sert à Catherinon du fiel et du vinaigre en guise de vin, puis un ragoût d'ongles et de griffes : on n'a pu citer ici tous ces effets macabres.*

Dossier

(On chante :) – Que le bras justicier se prépare
à faire exécuter la vengeance de Dieu, car il
n'est pas de délai qui n'arrive, ni de dette qui
ne se paie.

CATHERINON. – Oh ! la la ! ça va mal... Par le
Christ !... J'ai compris ce refrain, et qu'il parle
de nous.

DON JUAN. – Mon cœur se glace à en être
brûlé.

(On chante :) – Tant qu'en ce monde on est
vivant, il n'est pas juste que l'on dise : Bien
lointaine est votre échéance ! alors qu'il est si
bref le temps du repentir. [...]

DON JUAN. – J'ai fini de souper. Dis-leur de
desservir.

DON GONZALE. – Donne-moi cette main, n'aie
pas peur, donne-moi donc la main.

DON JUAN. – Que dis-tu ? Moi ! Peur ?... Ah !
je brûle !... Ne m'embrase pas de ton feu !

DON GONZALE. – C'est peu de chose au prix
du feu que tu cherchas. Les merveilles de Dieu,
Don Juan, demeurent insondables, et c'est ainsi
qu'il veut que tu payes tes fautes entre les
mains d'un mort, et si tu dois ainsi payer, telle
est la justice de Dieu : « Œil pour œil, dent
pour dent ».

DON JUAN. – Ah ! je brûle !... Ne me serre pas
tant !... Avec ma dague je te tuerai... Mais...
Ah !... Je m'épuise en vain à porter des coups
dans le vent. [...] Laisse-moi appeler quelqu'un
qui me confesse et qui me puisse absoudre.

DON GONZALE. – Il n'est plus temps, tu te
repens trop tard.

DON JUAN. – Ah ! je brûle !... Mon corps est
embrasé !... Je meurs... [...]

*Le sépulcre s'enfonce avec fracas, engloutis-
sant Don Juan et Don Gonzale, tandis que
Catherinon se sauve en se traînant* [1].

La *comedia* ne se termine pas avec la
damnation de Don Juan : une dernière
scène présente les préparatifs de la double
noce, celle de Mota et Doña Ana, de Don

---

1 Tirso de Molina, *L'Abuseur de Séville*, p 185-191.

Juan et d'Isabelle. Le Roi attend Don Juan ; mais font leur entrée Thisbé, qui accuse Don Juan d'avoir abusée d'elle, Aminte, qui prétend qu'il l'a déjà épousée, et Mota, qui réclame à nouveau justice. Arrive alors Catherinon, qui raconte la fin de son maître. Finalement, Octave épouse Isabelle, et Mota Doña Ana.

Dossier

2

De Tirso à Molière : variations françaises et italiennes sur Don Juan

Le mélange du grave et du comique, du sacré et de la farce déjà présent dans la pièce de Tirso devait être systématisé par les comédiens italiens. À partir du milieu du XVIIe siècle au moins, ceux-ci tirèrent du *Burlador* des canevas dramatiques sur lesquels ils improvisaient dans le fameux style de la *commedia dell'arte•*. Ce jeu appelait une simplification de l'intrigue touffue de Tirso, le développement du rôle du valet bouffon, et la reprise de toute la légende sous l'angle de la dérision.

Difficile aujourd'hui de se faire une idée de ces spectacles improvisés. La seule trace qui en soit parvenue, ce sont des scénarios manuscrits consignant, de façon elliptique, l'intrigue et la liste des *lazzi* que réalisaient les comédiens : de simples aide-mémoire, en somme. On trouve de tels canevas anonymes intitulés *L'Athée foudroyé*, *Le Convive de Pierre*, sans doute essentiellement joués en Italie même. On possède aussi quelques textes imprimés, plus développés : un *Convive de Pierre* de Cicognini, un *Impie puni* de Acciaiuoli – deux pièces médiocres. On connaît l'existence d'une comédie de Giliberto aujourd'hui perdue, sans doute représentée en France, et dont se seraient inspirés les dramaturges français évoqués

• *Fixant seulement les grandes lignes de l'intrigue et les traits de caractères conventionnels des personnages, ce type de jeu met l'accent sur les aspects visuels du spectacle (gestuelle, grimaces) ; le spectacle y est conçu comme un enchaînement de jeux de scène comiques (lazzi) que chaque comédien traite librement, avec fantaisie, dans la mesure de ses talents propres.*

plus loin, et peut-être Molière [1]. Toutes ces œuvres semblent antérieures à 1650.

Mais le document le plus intéressant est le canevas manuscrit d'une comédie apporté en France par les comédiens italiens, et jouée à Paris à partir de 1658 avec un succès considérable ; Molière en a sans doute tiré parti pour écrire son propre *Dom Juan*. L'intrigue y est consignée du point de vue du comédien représentant le valet• – d'abord nommé Trivelin et joué par Locatelli, puis nommé Arlequin et joué par Biancolelli, à partir de 1662. Tenu par des grands maîtres de la *commedia dell'arte*, ce rôle bouffon était donc bien devenu le rôle principal de la pièce ; Molière a conservé son importance en jouant lui-même Sganarelle. Lors de la scène du souper, par exemple, les jeux de scène comiques suggérés dans le texte de *Dom Juan* s'inspirent largement (au moins par leur esprit) de ceux détaillés par Biancolelli••.

• *Le scénario de la pièce aurait été noté par Biancolelli lui-même. Le texte italien, perdu, a été traduit en français au XVIIIe siècle par un certain Thomas Gueulette ; c'est cette traduction que l'on cite.*

•• *On comparera ce texte aux scènes VII et VIII de l'acte IV de* Dom Juan.

[Don Juan] demande à souper. Après tous les lazzi pour mettre le couvert, pour escroquer quelques morceaux de dessus la table, celui de la mouche que je veux tuer sur son visage, je dérobe un morceau de dessus la table ; un des valets me l'arrache ; je donne un soufflet à un autre que je crois être mon escroc. J'essuie une assiette à mon derrière ; puis, je la présente à Don Juan ; ensuite, je lui parle d'une jeune veuve très jolie, qui m'a tenu des discours très flatteurs sur son compte. Alors il m'ordonne de me mettre à table avec lui ; j'obéis de grand

---

1. On peut lire certains de ces textes dans l'ouvrage de Giovanni Macchia, *Vie, aventures et mort de Don Juan*, 1963, traduction française par Claude Perrus, Desjonquères, coll. « Le bon sens », 1990 ; et d'autres (dont la pièce de Cicognini) dans le recueil établi par Georges Gendarme de Bévotte, *Le Festin de Pierre avant Molière*, STFM, 1907.

cœur. « Allons, canailles, dis-je, que l'on m'apporte un couvert ! » Je dis à mon maître de ne pas aller si vite ; je me lave les mains, je les essuie à la nappe. Embarrassé de mon chapeau, je le lui mets sur la tête ; je retourne la salade avec ma batte ; je coupe une poularde ; je renverse la lumière ; je me mouche avec la nappe, et l'on heurte à la porte. Un valet y va et revient très effrayé et me culbute ; je me relève ; je prends un poulet d'une main et un chandelier de l'autre ; et je vais à la porte. J'en reviens très épouvanté, en faisant tomber trois ou quatre valets, et je dis à Don Juan que celui qui m'a fait ainsi (en baissant la tête*) est à la porte. Il prend un chandelier, va le recevoir. Pendant ce temps, je me cache sous la table, et comme je sors la tête de dessous pour voir la statue, Don Juan m'appelle et me menace de m'assommer si je ne reviens me mettre à table. Je lui réponds que je jeûne ; ensuite, obéissant à ses ordres réitérés, je me mets à table et je me couvre la tête avec la nappe. Mon maître m'ordonne de manger. Je prends un morceau, et, dans le moment que je le porte à la bouche, la statue me regarde et fait un mouvement de tête qui m'effraie. Don Juan m'ordonne de chanter : je lui dis que j'ai perdu la voix, enfin je chante, et, en suivant l'ordre de mon maître, je bois à la santé de la statue qui me répond d'un signe de tête. Je fais la culbute le verre à la main et me relève. [...] Enfin, après que la statue a invité à son tour Don Juan à souper et qu'il a accepté, elle se retire [1].

• *On reconnaît le signe de tête de la Statue acceptant l'invitation de Don Juan*

Le dénouement de la pièce chez Biancolelli présente aussi beaucoup d'intérêt : la fameuse exclamation du valet (« Mes gages, mes gages ! ») qui fit scandale à la première représentations de *Dom Juan*, et que Molière dut supprimer, se trouvait

---

1. Dominique Biancolelli, *Le Festin de Pierre*, scénario reproduit dans *Le Festin de Pierre avant Molière*, éd. G. Gendarme de Bévotte, STFM, 1907, p. 348-350.

déjà dans la pièce des Italiens ; sans doute la bouffonnerie avec laquelle y était traitée l'ensemble de l'histoire rendait-elle cette impiété moins choquante.

Dans la dernière scène, je dis qu'il faut que la blanchisseuse de la maison soit morte, car tout est ici bien noir. [Don Juan] s'approche de la table où est la statue, et prend un serpent dans un plat en disant : « j'en mangerai, fût-ce le diable ! (il mord à même) et je veux te charger de ses cornes. » La statue lui conseille de se repentir ; je dis « Amen ! » Il n'y veut pas entendre ; il [s']abîme sous terre. Je m'écrie : « Mes gages ! mes gages ! Il faut donc que j'envoie un huissier chez le diable pour avoir mes gages [1]. »

DORIMOND ET VILLIERS

Les succès remportés par les comédiens italiens lorsqu'ils représentaient des pièces sur le sujet de Don Juan ne pouvaient manquer d'inciter quelques dramaturges français à approprier ce sujet à notre langue, et aux règles de la comédie classique. Ce travail d'adaptation fut effectué concurremment par deux auteurs aujourd'hui oubliés : Dorimond et Villiers, qui donnèrent chacun en 1659 une tragi-comédie intitulée *Le Festin de Pierre ou le fils criminel*, et s'appliquèrent, autant que possible, à plier l'intrigue originale de Tirso à la règle des trois unités•.

• *Boileau, dans* L'Art poétique, *résume ainsi la règle des trois unités :* « *Qu'en un lieu, qu'en un jour, un seul fait accompli / Tienne jusqu'à la fin le théâtre rempli.* »

L'*unité d'action* est obtenue par une simplification de l'intrigue : dans *L'Abuseur*, les épisodes centrés sur Isabelle / Octave et Doña Ana / Mota pouvaient sembler faire double emploi, tout comme ceux mettant en scène Thisbé puis Aminte ; il

_____

1. Dominique Biancolelli, *Le Festin de Pierre*, p. 350-351.

n'y a plus, dans les deux tragi-comédies françaises, qu'une seule grande dame abusée, dès le début de la pièce, dont Don Juan tue le père dès le début de l'acte II. Ainsi l'intrigue est-elle centrée sur la vengeance du meurtre du Commandeur : tentative de vengeance par l'amant bafoué de sa fille, qui provoque la fuite de Don Juan avec son valet ; vengeance surnaturelle, par le spectre du Commandeur. De même, la séduction d'une « bergère » sur le point de convoler remplace à elle seule les scènes avec la jeune pêcheuse et la paysanne. Ce resserrement de l'action permet aussi un relatif respect de l'*unité de temps*. Toute l'action se déroule en une journée : dans la nuit, Don Juan tue le Commandeur ; le jour se lève, il s'enfuit après avoir bafoué les conseils de son père ; il fait naufrage, séduit une bergère, revient en ville, convie la statue du Commandeur ; il la reçoit, et accepte son invitation. Le banquet funèbre et la damnation de Don Juan ont lieu le soir même.

Pareille épuration des données originales de la légende avait été amorcée par les Italiens. Mais les deux dramaturges français proposent de l'histoire de Don Juan une vision plus grave, où la bouffonnerie du valet se trouve tempérée, où les aspects religieux et moraux sont traités avec davantage de sérieux• ; l'intrigue met l'accent sur le conflit entre Don Juan et son père. Une scène d'altercation violente révèle le cynisme de Don Juan qui, se moquant des remontrances du vieillard, en vient à le frapper pour le faire taire – causant ainsi sa mort, comme on l'apprend un peu plus tard. L'impiété qui vaut au libertin d'être damné se traduit d'abord par

• *Ainsi la Statue abandonne-t-elle son inquiétant laconisme pour débiter à Don Juan de pesants discours moralisateurs.*

l'absence de piété filiale : d'où le sous-titre *le fils criminel*.

De Dorimond, de son vrai nom Nicolas Drouin, on ignore même les plus élémentaires détails biographiques : on pense qu'il est né à Paris vers 1628, qu'il y est mort vers 1664. Acteur et auteur, il dirigeait une troupe itinérante dont la présence est attestée dans le sud-est de la France, en Savoie et à Turin vers 1660. C'est d'ailleurs à Lyon que Dorimond publia en 1659 *Le Festin de Pierre ou le fils criminel*, tragi-comédie. En voici un résumé.

Amarille aime Dom Philippe, et repousse Dom Jouan. Pour se venger, celui-ci décide d'enlever Amarille – bafouant les remontrances de son père, Dom Alvaros, qui le conjure de borner les dérèglements de sa conduite (acte I). Dom Jouan, surpris dans sa tentative d'enlèvement par Dom Pierre, le père d'Amarille, le tue. Dom Philippe jure à Amarille de venger le Commandeur. Dom Jouan parvient à s'enfuir, en changeant d'habits avec son valet Briguelle (acte II). Dans une forêt, les deux fuyards découvrent un pèlerin : Dom Jouan veut le persuader de lui vendre son habit, l'ermite refuse, Dom Jouan le lui prend de force. Il peut ainsi abuser Dom Philippe à sa poursuite. On apprend incidemment que le père de Dom Jouan est mort de chagrin, victime de son propre fils (acte III). On retrouve Dom Jouan et Briguelle rescapés d'un naufrage : ils croisent une jeune bergère, Amarante, que Dom Jouan abuse par une promesse de mariage le jour prévu pour ses noces avec un berger ; puis il l'abandonne, feignant de ne plus la connaître. Dans un bois, en chemin, il découvre le tombeau de Dom

Dossier

Pierre, et ordonne à Briguelle de convier la statue à dîner. Elle accepte (acte IV). Le repas a lieu, la Statue se présente ; après une longue conversation philosophique et religieuse avec Dom Jouan, elle lui rend son invitation. Dom Jouan accepte. Mais Amarille et Dom Philippe ne sont pas loin, toujours soucieux de venger la mort de Dom Pierre. Trop tard, car déjà Dom Jouan se rend à la sépulture du Commandeur, où l'attend sa damnation. La pièce se referme sur l'annonce du mariage d'Amarille et de Philippe, qui prend Briguelle à son service, ce dernier se trouvant tout heureux de servir enfin « un brave homme » (acte V).

La relative uniformité de l'écriture en alexandrins de ce *Festin de Pierre* est loin de la prose alerte et variée de Molière. Celui-ci a aussi laissé de côté certains aspects conventionnels de l'intrigue ; il a pu cependant s'inspirer ici et là de ses prédécesseurs français. Tel petit monologue de Briguelle préfigure le portrait que Sganarelle trace de son maître à Gusman dans l'exposition de *Dom Juan* (I, 1), esquissant même l'hypocrisie du personnage :

BRIGUELLE, *seul*

Est-il un plus grand fourbe ? Est-il un plus grand
[traître ?
Et ne suis-je pas fou de servir un tel maître ?
Je tiens pour assurés sa perte et mon malheur :
Quelque tragique fin suivra ce suborneur.
Qui ne l'eût pris tantôt pour un saint, pour un
[ange ?
Il est diable ; il est saint ; enfin c'est un mélange
Où les plus raffinés se trouveront surpris ;
Et sans doute, il agit par les malins esprits,
Car autrement, comment est-ce qu'il pourrait
[faire ?

Jurer à son valet de n'être plus sévère,
D'abandonner le vice et vivre sagement,
Et faire le contraire en un même moment [1] !

Dorimond propose aussi un nouvel éclairage psychologique du personnage de Don Juan. Chez Tirso et nombre de ses imitateurs italiens, c'est l'honneur qui poussait Don Juan à se rendre à l'invitation du Commandeur ; il est ici mû par une curiosité sacrilège, par le désir de connaître les choses de l'autre monde•.

• *Ce Don Juan esprit fort et vaguement philosophe n'est pas encore l'incrédule de Molière, qui nie la réalité des apparitions surnaturelles de la Statue et du spectre : s'il défie l'envoyé de l'autre monde qu'est le Commandeur, c'est qu'il croit encore au Ciel et à l'Enfer.*

BRIGUELLE

C'est tout de bon, nous allons en des lieux
Où pour nous étriller des diables furieux
Ne nous ferons rien voir que rage, que rancune.
On nous étouffera ; soleil, étoiles, lune,
Adieu donc pour jamais, je vais dans des manoirs
Où nous ne verrons rien que des démons tout
[noirs.

DOM JOUAN

Qui t'intimide, sot, et que pouvons-nous
[craindre ?

BRIGUELLE

Ah ! vous vous obstinez, pour m'achever de
[peindre [2],
Mais encore une fois, Monsieur, pensez-y bien,
Nous n'en reviendrons pas.

DOM JOUAN

Va, va, je ne crains rien,
J'ai vu ce qu'on peut voir, Briguelle, sur la terre,
Les esprits forts, les grands, les savants, et la
[guerre ;
Il ne me reste plus, dans mes pensers divers,
Qu'à voir, si je pouvais, les Cieux et les Enfers.

_____

1. Dorimond, *Le Festin de Pierre ou le fils criminel*, IV, IV, dans *Le Festin de Pierre avant Molière*, p. 91.
2. *Pour m'achever de peindre* : pour m'achever, pour me donner le coup de grâce (expression proverbiale).

Celui que je vais voir n'est plus dans ces
[matières ¹,
Qui souvent font obstacle aux plus belles
[lumières,
C'est un esprit tout pur, et je ne doute pas
Que l'esprit et le corps n'y fasse un bon repas ;
Allons donc sans tarder, l'occasion est belle,
Je crois qu'il tient école aussi surnaturelle.
L'homme est lâche qui vit dans la stupidité ;
On doit porter partout sa curiosité ².

L'autre *Don Juan* français antérieur à Molière est l'œuvre de Claude Deschamps, dit Villiers (1601 ?-1681). Au cours de sa longue carrière d'acteur, il appartint à la troupe de l'Hôtel de Bourgogne, rivale de celle de Molière•. Villiers ne composa que trois pièces : deux comédies et son *Don Juan* qui porte le même titre que celui de Dorimond, *Le Festin de Pierre ou le fils criminel,* tragi-comédie. Également créée en 1659, la pièce reprend plus ou moins le même découpage : les deux tragi-comédies s'inspirent d'une source italienne commune, aujourd'hui perdue, et il est vraisemblable que Villiers connaissait la pièce de Dorimond. Seuls changent quelques noms de personnages : le valet de Don Juan s'appelle ici Philipin. On trouve pourtant quelques traits originaux, qui semblent annoncer Molière. Ainsi Villiers développe-t-il un épisode mineur chez Dorimond, la rencontre avec un pèlerin, dont Dom Juan convoite l'habit afin de se déguiser ; après avoir usé de toutes les persuasions et toutes les tentations, Don Juan doit recourir à la menace

• *Molière s'amusa même à ridiculiser la déclamation emphatique de Villiers dans la première scène de* L'Impromptu de Versailles.

---

1. *Dans ces matières* : le monde matériel, le monde des vivants.
2. Dorimond, *Le Festin de Pierre ou le fils criminel,* V, VII, p. 124-125.

de son épée pour contraindre l'ermite à se dépouiller•.

• *C'est la préfiguration, avec moins de force et de profondeur, de la scène où le Dom Juan de Molière veut forcer le Pauvre à jurer (III, II).*

DOM JUAN
Quel homme vient ici me couper le chemin ?

PHILIPIN
Vous voilà bien troublé. C'est...

DOM JUAN
C'est ?

PHILIPIN
Un Pèlerin. [...]

DOM JUAN
Je roule dans l'esprit un dessein, Philipin.

PHILIPIN
Monsieur.

DOM JUAN
Il faut avoir l'habit du Pèlerin. [...]

PHILIPIN
Il aura, que je crois, grand peine à le corrompre.

DOM JUAN [*au Pèlerin*]
Le Ciel veuille donner le repos à vos jours.

LE PÈLERIN
Le Ciel d'un œil bénin vous regarde toujours.

DOM JUAN
Que faites-vous ainsi dans cette forêt sombre ?

LE PÈLERIN
De même que le corps est suivi de son ombre,
Je suis, par des sentiers que me prescrit le sort,
L'infaillible chemin qui nous mène à la mort.
[*suit un long discours moral où le Pèlerin
explique à Dom Juan qu'il a quitté les villes et
les cours peuplées d'impies et de pervers*]

PHILIPIN
Remettez à demain la prédication,
Car aujourd'hui mon maître est sans dévotion.

LE PÈLERIN
Apprenez, esprit faible, et rempli d'ignorance,
Que votre maître et vous êtes sous la puissance
Des Dieux, justes vengeurs, qui sauront bien punir
Et vos crimes passés, et ceux de l'avenir.
Peut-être approchez-vous de ce moment funeste.

Dossier

DOM JUAN

Bonhomme, une autre fois vous nous direz le
[reste. [...]
J'ai nécessairement besoin de votre habit.

LE PÈLERIN

Mon habit ? Songez-vous à ce que vous me
[dites ?

DOM JUAN

Sans employer le temps en de vaines redites,
J'en ai besoin, vous dis-je, et quoi que vous fissiez
Vous me fâcheriez fort si vous me refusiez.

LE PÈLERIN

Mon habit, quoi que fasse ici votre industrie,
Ne se dépouillera jamais qu'avec ma vie.

DOM JUAN

Songez que je vous l'ai demandé par douceur,
Qu'en ce moment j'en veux être le possesseur,
Et qu'il n'est rien pour lui que je ne vous octroie.

LE PÈLERIN

Monsieur, vous perdez temps, car par aucune voie
Vous ne pourrez tenter, ni le cœur, ni les yeux
D'un homme qui ne craint que le courroux des
[Dieux.

DOM JUAN

Ah ! c'est trop raisonner, et votre résistance...

LE PÈLERIN

Quoi ! vous me l'ôteriez avecque violence ?

PHILIPIN

Il s'en va son épée en votre sang souiller :
[à Dom Juan]
Ah ! ne le tuez pas, il se va dépouiller.

DOM JUAN

Vite, donc, autrement...

PHILIPIN

Dépêchez-vous, bon homme,
Vous en aurez, sans doute, une notable somme,
Mon maître est libéral.

LE PÈLERIN

Non, non, l'argent, ni l'or,
Ne m'ont jamais tenté.

DOM JUAN
Vous résistez encor ?
Je vous donne le mien.

LE PÈLERIN
Mais il m'est inutile.

DOM JUAN
Je suis las de vous voir faire le difficile ;
Que sert de contester ? Car enfin je le veux [1].

Dans la pièce de Villiers, il est un autre
épisode étonnant, qui rompt avec le cours
attendu de l'intrigue : dans sa fuite, après
être sorti indemne d'un naufrage, Dom
Juan semble un moment tenté par le
repentir sincère !

DOM JUAN
Je veux t'ouvrir ma conscience,
Te dire ma pensée en trois ou quatre mots :
Le péril que je viens de courir sur les flots
Me donne dans le cœur un repentir extrême,
Car par là je vois bien que la Bonté suprême,
Loin de m'exterminer, veut me tendre la main :
Travaillons, travaillons, sans attendre à demain,
Profitons de ces mots, les derniers de mon Père,
Forçons, forçons le Ciel à nous être prospère,
Et par des actions qui n'aient rien de brutal,
Faison un peu de bien après beaucoup de mal.

PHILIPIN
Le voilà repentant, tout de bon !

DOM JUAN
Oui ; mon âme
Ne concevra jamais d'illégitime flamme :
Et je veux désormais que les Cieux ennemis
Me puissent écraser...

PHILIPIN
S'il ne fait encore pis.

DOM JUAN
Que dis-tu ?

1. Villiers, *Le Festin de Pierre ou le fils criminel*, III, III,
dans *Le Festin de Pierre avant Molière*, p. 208-213.

PHILIPIN
Rien du tout ; seulement j'examine
Le souverain pouvoir de la bonté divine,
Qui de diable vous fait ange en un seul moment,
Et qui produit en vous un si prompt changement.

DOM JUAN
Ce sont des coups du Ciel qu'on ne saurait
[comprendre [1].

Villiers a voulu ménager cette péripétie dans son intrigue : la conversion de Dom Juan•, inspiré par le repentir, l'horreur de sa conduite passée, décidé désormais à « détester le vice, [...] fuir la violence, [...] abhorrer l'injustice » (IV, v) ! Cette résolution ne dure qu'un moment, et il suffit à Dom Juan d'apercevoir deux jolies bergères pour revenir à son caractère premier : et Villiers semble alors annoncer – de très loin – la scène de séduction simultanée des deux bergères rencontrées près du rivage – situation que Molière développe avec la virtuosité que l'on sait•• (II, IV).

• *Molière tire un parti bien supérieur de cette idée : peignant, lui aussi, la conversion de Dom Juan, il n'en fait qu'un odieux stratagème d'hypocrite, le plus abominable des crimes de son personnage.*

•• *Chez Villiers, le dialogue est plus sommaire : faute d'indications de jeu précises, on ne sait trop si Dom Juan, sans cesse interrompu par son valet, s'adresse alternativement à l'une puis à l'autre des jeunes femmes (Bélinde et Oriane), ou aux deux en même temps*

DOM JUAN
Ah ! que facilement un pauvre cœur s'engage
À l'abord imprévu de si grandes beautés.

BÉLINDE
Est-ce là tout, Monsieur ? Ah ! vous nous en
[contez ;
Allons, ne tardons pas en ce lieu davantage.

PHILIPIN
Monsieur, les matelots, les écueils, le naufrage ?...

DOM JUAN
Je n'ai jamais rien vu de si beau que tes yeux.

PHILIPIN
Les vents...

DOM JUAN
Ah ! que les tiens ont des traits radieux !

PHILIPIN
La tempête...

---

1 Villiers, *Le Festin de Pierre ou le fils criminel*, IV, II, p. 225-226.

DOM JUAN
Ta taille est charmante au possible.

PHILIPIN
Les tonnerres...

DON JUAN
Pour toi je suis extrêmement sensible.

PHILIPIN
Les éléments...

DOM JUAN [*à Philipin*]
Tais-toi – male-peste du sot !

ORIANE
Il vous en faut donc bien, Monsieur ?

DOM JUAN
Encore un mot.
Bergères à mes yeux cent fois plus adorables...

PHILIPIN
Est-ce craindre les Dieux, que d'adorer les
[Diables ?

DOM JUAN [*à Philipin*]
Ah ! c'est trop, souviens-toi qu'un insolent
[discours
Fait de ce même jour le dernier de tes jours.

BÉLINDE
Mais après tout, Monsieur, que voulez-vous nous
[dire ?

DOM JUAN
Qu'il faut vous disposer à finir mon martyre ;
À m'être favorable, et dans ce même jour
Payer de vos faveurs mon véritable amour [1].

MOLIÈRE ET SES PRÉDÉCESSEURS

Petite « archéologie » de la légende de
Don Juan, ce parcours dans les œuvres
dramatiques de tons assez divers qu'elle a
inspirées invite à se demander ce que la
comédie de Molière doit aux pièces de ses
devanciers : quelle y est la part de l'originalité, du génie propre de l'auteur ? Au-

Dossier

1. Villiers, *Le Festin de Pierre ou le fils criminel*,
IV, v, p. 233-235.

delà de la recherche des « sources* », l'essentiel est de comprendre par quel processus d'intégration ou de rejet Molière transforme des données originales multiples et diverses pour se les approprier, en créant une œuvre originale et cohérente. Comme l'écrit le critique italien Giovanni Macchia :

• Il n'est pas certain que Molière ait lu L'Abuseur *de Tirso de Molina ; il connaissait sans doute les deux* Festin de Pierre *de Dorimond et de Villiers ; il s'est essentiellement inspiré des spectacles de* commedia dell'arte.

La grandeur du Dom Juan de Molière, par rapport à la tradition, n'a rien de révolutionnaire. Elle tient plutôt à un dosage savant d'éléments contradictoires, empruntés à diverses sources, en utilisant tout ce qui pouvait conférer à la pièce un semblant d'unité et en laissant de côté ce qui devait l'être. Le génie de Molière, avec ses emportements et ses trouvailles irrésistibles, reste un génie critique : critique par rapport à la tradition théâtrale et à l'idée du théâtre qui s'affirmait en France dans ces années-là. On a reproché à sa pièce d'être quelque peu décousue et inégale : c'est oublier la tradition littéraire avec laquelle Molière devait compter, ainsi que les origines et la nature même de la légende [1].

C'est un minutieux travail de comparaison des différentes versions qui permet de percevoir les inflexions propres au *Dom Juan* de Molière : son efficacité dramatique et comique, sa profondeur philosophique, et surtout son extraordinaire ambiguïté.

---

1. Giovanni Macchia, *Vie, aventures et mort de Don Juan* (1963), traduction de Claude Perrus, Desjonquères, coll. « Le bon sens », 1990, p. 18.

3

Le Dom Juan *de Molière :*
scénographie, comique
et dramaturgie

Après ce regard rétrospectif sur les sources dont Molière a pu librement s'inspirer, il faut replacer *Dom Juan* en son temps. Que doit la pièce aux possibilités offertes par la scénographie de la seconde moitié du XVIIe siècle ? À quelles traditions comiques puise-t-elle son inspiration ? Quel contexte philosophique et religieux donne-t-il sens à son intrigue ? Dans quels combats idéologiques l'œuvre s'inscrivait-elle à sa création, et quel accueil a-t-elle reçu ?

UNE SCÉNOGRAPHIE ÉLABORÉE

• *Molière écrivait, en tête de* L'Amour médecin *(1665) : « On sait bien que les comédies ne sont faites que pour être jouées ». Et d'ajouter qu'il faut au lecteur d'une pièce « des yeux pour découvrir dans la lecture tout le jeu du théâtre ».*

•• *Indications scéniques indispensables à la compréhension du déroulement de l'action, les* didascalies *sont tous les éléments d'une pièce extérieurs au texte déclamé par les acteurs.*

Une pièce de théâtre, c'est d'abord un spectacle•. Le texte imprimé ne se substitue pas à cette composition éphémère de voix, de corps, de costumes et de gestes, d'images et de décors, d'ombres et de lumières qu'est une représentation dramatique : il peut seulement aider le lecteur à la recréer en esprit, par la mémoire ou par l'imagination. La transcription écrite des répliques est impuissante à évoquer la déclamation des comédiens, leurs mouvements, leurs jeux de scène. Les didascalies•• donnent seulement une idée sommaire des aspects visuels de la représentation : pour mieux comprendre *Dom Juan*, il est essentiel de préciser cette dimension scénique à l'aide de quelques documents qui ont été conservés.

Dossier

Dom Juan a été conçu par Molière comme une pièce utilisant largement les artifices, les « effets spéciaux » que permettait la scénographie de son temps : l'œuvre constituait une « pièce à machines ». De tels effets spectaculaires étaient alors surtout employés pour représenter des intrigues merveilleuses à sujet mythologique ; leur puissance démonstrative avait aussi été employée quelquefois dans le théâtre religieux. Molière les utilise naturellement pour figurer les moments les plus frappants d'une intrigue surnaturelle : apparition d'une statue animée (III, v et IV, viii) ; métamorphose d'un Spectre en personnification du Temps, qui disparaît en s'envolant (V, v) ; foudroiement du libertin, qui s'abîme dans le sol au milieu des feux de l'enfer (V, vi). En homme de théâtre avisé, il comptait sans doute sur ces artifices, comme sur le luxe et la diversité des décors, pour attirer le public ; plus secrètement, il jouait peut-être à employer les effets du merveilleux chrétien en les traitant sur un mode profane, afin de désacraliser la conclusion apparemment édifiante de sa pièce.

On peut se faire une idée précise des *décors* de la pièce grâce à un document précieux : le « Devis des ouvrages de peinture qu'il convient de faire pour Messieurs les comédiens de Monseigneur le duc d'Orléans », trace du marché passé entre Molière et les deux peintres chargés d'exécuter ces décors selon ses indications. Ce devis prévoit un décor différent pour chaque acte, ce qui était alors exceptionnel ; au cours de l'acte III, le décor change même sous les yeux des spectateurs pour révéler tout d'un coup l'intérieur du tombeau du Commandeur dans lequel pénètre Dom Juan (III, v) – effet spectaculaire qui prélude au miracle de la statue animée. Chaque décor est constitué, de part et d'autre de la scène, d'une série de trois ou de cinq châssis tendus de toile peinte ; de plus en plus petits et de plus en plus rapprochés, ils figurent des éléments de décor identiques (enfilades de portiques, rangées d'arbres ou de statues...) et donnent ainsi une illusion de perspective, selon un artifice emprunté à la scénographie italienne. Ces châssis coulissent latéralement, ce qui permet de substituer rapidement un décor à un autre. À l'arrière de la scène (« contre la poutre »), une toile peinte forme le fond du décor ; une ouverture peut être ménagée dans cette toile pour laisser entrevoir encore deux rangs de châssis plus petits, perspective « seconde » qui renforce l'effet de profondeur (actes I, II et V). Voici l'inventaire de ces éléments de décor :

Premièrement un palais consistant en cinq châssis de chaque côté et une façade contre la poutre, au travers duquel l'on verra deux châssis de jardin et le fond, dont le premier châssis aura dix-huit pieds de haut et tous les autres en diminuant de perspective. [*acte I*]
Plus un hameau de verdure consistant en cinq châssis de chaque côté, [...] et une grotte pour cacher la poutre au travers de laquelle on verra deux châssis de mer et le fond. [*acte II*]
Plus une forêt consistant en trois châssis de chaque côté [...] et un châssis fermant sur lequel sera peint une manière de temple entouré de verdure. [*acte III*]
Plus le dedans d'un temple consistant en cinq châssis de chaque côté [...] et d'un châssis fermant, contre la poutre, représentant le fond du temple. [*acte III, fin de la scène v*]

Dossier

Plus une chambre consistant en trois châssis de chaque côté [...] et un châssis fermant représentant le fond de la chambre. [*acte IV*]
Plus une ville consistant en cinq châssis de chaque côté [...], et un châssis contre la poutre où sera peinte une porte de ville et deux petits châssis de ville aussi et le fond [1]. [*acte V*]

On dispose de beaucoup moins de renseignements au sujet des *costumes*. L'inventaire après décès de Molière signale seulement, parmi les effets en sa possession,

une camisole de toile à parements d'or, un pourpoint de satin à fleurs du *Festin de Pierre* [...] ; une écharpe de taffetas ; une petite chemisette à manche de taffetas couleur de rose et argent fin. Deux manches de taffetas couleur de feu et moire verte, garnies de dentelles d'argent, une chemisette de taffetas rouge, deux cuissards de moire d'argent [2].

Il est peu probable qu'il s'agisse d'éléments du costume du *valet* Sganarelle, joué par Molière lui-même : on s'en convainc en regardant telle célèbre gravure qui représente justement le dramaturge en Sganarelle. Ces habits où domine la couleur rouge ne seraient-ils pas ceux de Dom Juan, plusieurs fois décrits dans le cours de la pièce, d'abord par Sganarelle (I, II : « Pensez-vous que pour être de qualité, pour avoir une perruque blonde et bien frisée, des plumes à votre chapeau, un habit bien doré, et des rubans couleur

---

1. Document cité par Christian Delmas, « Sur un décor de *Dom Juan* », *Cahiers de Littérature du XVIIe siècle*, n° 5 (1983), p. 46. L'article étudie en détail le rapport entre ces décors et le découpage de l'intrigue ; l'auteur l'a repris dans son ouvrage *Mythologie et mythe dans le théâtre français (1650-1676)*, Genève, Droz, 1985, où il est accompagné d'une analyse de la scénographie de la pièce, « *Dom Juan* et le théâtre à machines ».
2. Cité par Georges Mongrédien, *Recueil des textes et des documents du XVIIe siècle relatifs à Molière*, CNRS, 1973, p. 233.

de feu... ») puis par Pierrot (II, 1) ? Une chose en tout cas est sûre : dans la galerie des personnages du théâtre de Molière, ce costume plein d'ornements, de dentelles, de dorures et de rubans place Dom Juan aux côtés des petits marquis vaniteux et ridicules.

LA FUSION DES TRADITIONS COMIQUES

Cette rencontre inattendue entre Dom Juan et les rôles les plus caricaturaux de l'univers moliéresque, si elle ne résume pas la complexité du personnage, rappelle à propos qu'il faut toujours envisager *Dom Juan* sous l'angle de la comédie. Malgré la gravité de certains des sujets qu'elle aborde, malgré tels passages pleins de noblesse (tirades d'Elvire, de Dom Louis), l'œuvre n'est pas une de ces comédies sérieuses, galantes, de style relevé, comme en écrivit Corneille, mais bien un spectacle dont la première raison d'être est d'exciter le rire chez les spectateurs. Il existe de nombreuses variétés de comique, de la bouffonnerie facile jusqu'à l'ironie fine et mordante, des jeux de scène les plus grossiers jusqu'aux jeux de langage confinant l'absurde : le génie de Molière a souvent consisté à maîtriser toute la palette de ces différents registres, et à savoir mêler dans une même pièce le superficiel et le profond, le rire mécanique et celui qui donne à penser. Mais la diversité des procédés n'est sans doute nulle part aussi grande que dans *Dom Juan*.

L'examen des *Don Juan* antérieurs a suggéré quelques sources. L'inspiration de la *commedia dell'arte* a sans doute fourni l'idée de certains jeux de scène ; d'autres filiations méritent d'être soulignées.

Durant ses années d'apprentissage, puis à l'école du grand Scaramouche•, Molière était passé maître dans l'art de la grimace et d'un jeu burlesque faisant place à l'improvisation réglée. En se réservant le rôle de Sganarelle, valet couard, inculte, bavard, impertinent et raisonneur, il composait une sorte de « croisement » du valet rusé de la comédie italienne, du valet bouffon (ou *grazioso*) de la littérature espagnole et du valet balourd de la farce française (dans la lignée de Gros-René ou Jodelet) : soulignant ainsi, en une sorte d'hommage, l'influence persistante de la farce sur ses créations les plus ambitieuses [1]. L'éloge pour rire du tabac que Sganarelle vient débiter au début de la pièce dérive des harangues bouffonnes que les grands « farceurs », tels Bruscambille, servaient à leur public en guise de prologue au spectacle ; « orateur » de sa troupe, Molière avait lui-même coutume de livrer de tels monologues facétieux en prélude à certaines représentations. Outre cela, les conversations entre Dom Juan et Sganarelle sur différents sujets philosophiques (la fidélité et l'inconstance, la religion, I, II ; la médecine et la foi, l'origine divine de la création, III, I ; le repentir, la sincérité et l'hypocrisie, V, II), imitant de façon piquante les débats des doctes, leurs échanges de propos sentencieux, leurs enchaînements de raisons et d'objections, reproduisent le schéma des saynettes inventées par un des plus célèbres « farceurs » de la première moitié du XVIIe siècle : Tabarin, qui jouait le valet

• *Tiberio Fiorelli (1600-1694), dit Scaramouche, fameux acteur napolitain, était venu en France à l'invitation de Mazarin ; il partagea un temps avec Molière la salle du Petit-Bourbon.*

---

1. Sur ces aspects comiques hérités du batelage farcesque on consultera l'ouvrage de Patrick Dandrey, *Dom Juan ou la critique de la raison comique*, Champion, 1993, p. 53-78.

raisonneur en remontant à son maître sur une multitude de sujets par ses démonstrations absurdes. Il n'est pas jusqu'aux plaisanteries les plus grossières de la farce qui ne trouvent place dans *Dom Juan* : à la scène v de l'acte III, Sganarelle s'excuse d'avoir abandonné son maître en raison d'un besoin pressant, son déguisement de médecin possédant selon lui des vertus laxatives (« je crois que cet habit est purgatif ») !

Ailleurs, le comique naît de procédés plus élaborés du point de vue littéraire, comme ces « ballets verbaux » formés d'échanges rapides, virtuoses, qui démontrent de façon plaisante l'habileté redoutable de Dom Juan en matière de paroles trompeuses•. D'autres jeux de langage encore sont à l'œuvre dans la pièce, comme la *fatrasie* (ou *coq-à-l'âne*) placée dans la bouche de Sganarelle à la fin de la scène II de l'acte V : cette tirade saugrenue repose sur un enchaînement de causes et d'effets d'autant plus absurde qu'il emprunte les apparences du raisonnement logique.

Deux procédés comiques méritent enfin d'être étudiés à part : le premier, la parodie du patois paysan, appelle quelques éclaircissements ; le second, l'éloquence paradoxale et ironique qui parcourt toute la pièce, conditionne la signification de l'œuvre.

• *On pense au double dialogue dans lequel le séducteur assure en même temps Charlotte et Mathurine d'un amour exclusif et d'une promesse de mariage (II, IV), ou à la scène dans laquelle il esquive par d'incessantes flatteries les requêtes de son créancier, Monsieur Dimanche (IV, III).*

LE PASTICHE DU LANGAGE PAYSAN

Le recours au pittoresque de l'accent et des tournures rurales qui donne sa couleur aux discours de Pierrot et Charlotte tout au long de l'acte II apparaît comme un ressort comique assez simple : mais inté-

Dossier

grer cette veine dans les procédés de la comédie classique n'allait pas de soi. Molière s'est probablement inspiré d'une pièce qu'il appréciait, *Le Pédant joué* (1654) de Cyrano de Bergerac•. Une bonne part des effets de cette comédie quasi expérimentale reposait déjà sur les tirades piquantes d'un paysan, Gareau. Voici par exemple sa première apparition sur scène, une rencontre avec un personnage de matamore au discours pompeux nommé Châteaufort.

• *Molière a aussi emprunté à cette pièce le célèbre « Mais que diable allait-il faire à cette galère » des* Fourberies de Scapin.

CHÂTEAUFORT. – Où vas-tu bonhomme ?

GAREAU. – Tout devant moi.

CHÂTEAUFORT. – Mais je te demande où va le chemin que tu suis ?

GAREAU. – Il ne va pas : il ne bouge.

CHÂTEAUFORT. – Pauvre rustre, ce n'est pas cela que je veux savoir : je te demande si tu as encore bien du chemin à faire aujourd'hui.

GAREAU. – Nanain da ! Je le trouvarai tout fait.

CHÂTEAUFORT. – Tu parais, Dieu me damne, bien gaillard pour n'avoir pas dîné.

GAREAU. – Dix nez ? Qu'en fera-je de dix ? Il ne m'en faut qu'un.

CHÂTEAUFORT. – Quel Docteur ! Il en sait autant que son Curé.

GAREAU. – Aussi si-je ; n'est-il pas bien curé qui n'a rien au ventre ? Hé là ris Jean, on te frit des œufs. Testigué, est-ce à cause qu'ous êtes Monsieu, qu'ous faites tant de menes ? Dame, qui tare a gare a. Tenez n'avous point vu malva ? Bonjou donc, Monsieur s'tules. Hé qu'est-ce donc ? Je pense donc qu'ous me prendrais pour queuque inorant ? Hé si tu es riche, dîne deux fois. Aga quien, qui m'a angé ce galouriau ? Bonefi sfesmon ! Vela un homme bien vidé ; vela un angein de belle déguêne ; vela un biau vaissiau s'il avait deux saicles sur le cul. Par la morguoi, si j'avous une sarpe ei un baston, je ferous un Gentizome tout au queu. C'est de la Noblesse à Maquieu Furon, va te couché [*sic*], tu souperas demain. Est-ce

donc pelamor qu'ous avez un engain de far au
costé qu'ous fetes l'Olbrius et le Vespasian ?
Vartigué ce n'est pas encore come-ça. Dame
acoutez je vous dorais bian de la gaule par sous
l'huis ; mais par la morguoi ne me jouez pas
de Trogédies, car je vous ferouas du bezot. Jar-
nigué je ne sis pas un gniais ; [...] j'ai été Por-
tofrande, j'ai été Chasse-Chien, j'ai été Guieu
et Guiebe, je ne sais pus qui je sis. Mais ardé
de tout ça brerrrr, j'en dis du Mirliro, parmets
que j'aye de Stic.
CHÂTEAUFORT. – Malheureux excommunié,
voilà bien du haut style [1] !

Dossier

• *La densité des
termes de patois dans
le discours de
Gareau décourage
presque la
compréhension ; ce
n'est pas le cas des
paysans de Molière,
car le dramaturge a
pris soin, en
composant leur
langage, d'en doser
les effets pittoresques
afin qu'il soit piquant
sans être
impénétrable.*

•• *Le lecteur
surmontera aisément
ces jeux de langage
pour peu qu'il
s'amuse à lire le
texte à haute voix.*

Si on laisse de côté les malentendus
savoureux qui rythment le début de
l'échange, Molière a puisé dans le parler
de Gareau l'essentiel des procédés
comiques mis en œuvre dans les discours
de Pierrot• : prononciation déformée par le
patois, jurons paysans, expressions ima-
gées, étonnement naïf du rustre devant la
mise d'un « Monsieu » (il parle de son
« engain de far », c'est-à-dire son engin de
fer, son épée) – étonnement toutefois mêlé
de défiance, crainte d'être pris pour un
ignorant (« queuque inorant »).

Revenons rapidement, pour éclairer
l'acte II de *Dom Juan*, sur les particularités
du parler de Pierrot. Les plus évidentes••
sont les déformations qui affectent la prononciation. Sans entrer dans le détail des
mécanismes phonétiques, on peut inven-
torier les principales variantes qui dis-
tinguent ce patois de l'usage courant. Ce
sont d'abord les nombreuses transforma-
tions des voyelles qui donnent au texte sa
couleur particulière :

1. Cyrano de Bergerac, *Le Pédant joué*, II, ii, dans les *Œuvres
complètes* éditées par Jacques Prévot, Belin, 1977, p. 180-181
(orthographe modernisée).

le *e* ouvert est souvent remplacé par *a* : *revarsés* pour *renversés*, *aparçu* pour *aperçu*, *barlue* pour *barlue*, *marles* pour *merles*... et *Piarrot* pour *Pierrot*. Dans d'autres contextes, il est remplacé par un son *œ* : *queuque* pour *quelque*.

de même, le *o* ouvert est parfois remplacé par *œ* : *quement* pour *comment*.

la voyelle nasale *in* devient parfois *an*, notamment dans *bian* (pour *bien*).

à la voyelle *u* se substituent quelquefois les sons *a* ou *i* : *da* pour *du*, *himeur* pour *humeur*.

les finales en *-eau* s'enrichissent d'une semi-consonne (yod) : *reziau* pour *réseau*, *biau* pour *beau*, *gliau* pour *l'eau*.

Bien évidemment, de semblables déformations affectent aussi les consonnes :

prononciation mouillée de la consonne *l* : *gliau* pour *l'eau*, *glieu* pour *lieu*, *gli* pour *lui*.

transformation de *t* en *qu* ou *squ* : *jesquions* pour *jetons*, *quienne* pour *tienne*, *amiquié* pour *amitié*, *piquié* pour *pitié*.

transformation de *n* en *gn* : *chagraignes* pour *chagrines*, *tegniez* pour *teniez*.

élision de consonnes finales : *toujou* pour *toujours*, *entonnois* pour *entonnoirs*.

prononciation de consonnes finales muettes : *estomaque* pour *estomac*.

interversion de consonnes dans un même mot : *éplinque* pour *épingle*.

Il faut de plus avoir présentes à l'esprit certaines particularités de prononciation qui n'apparaissent pas dans un texte imprimé : le son vocalique *ai* peut s'enrichir d'une semi-consonne et se lire *oué*, notamment dans les verbes à l'imparfait ; la consonne *r* est roulée (mais ce dernier trait affectait aussi la prononciation élégante : voir *Le Bourgeois gentilhomme*, II, iv).

Du point de vue morphologique, on relève de nombreuses variations sur les formes conjuguées des verbes :

ce sont parfois de simples variantes résultant de la prononciation : *je ses* pour *je suis*, *ils ant* pour *ils ont*.

d'autres fois ce sont des substitutions de personne (*j'étions*), l'emploi du participe présent pour une forme conjuguée (*nageant* pour *nagent*), la création de formes aberrantes – notamment à la première personne du singulier et à la troisième du pluriel, calquées sur la première personne du pluriel (*j'avions*, voire *j'aviomme* ; ils *avont* ; *ils appellont* pour *ils appellent*, *tenont* pour *tiennent*, *portont* pour *portent*).

Et l'on passe sur les formes contractées ou déformées (*igna* pour *il n'y a*, *vlà*, *pû* pour *plus*, *v's* pour *vous*) ; on ne revient pas non plus sur les vocables paysans ni sur les expressions populaires, expliqués en notes. On laisse enfin à chaque lecteur le soin de relever les particularités de la syntaxe et les tours de phrases originaux dont usent Pierrot et ses amis : ils ne nécessitent guère de commentaires pour être compris et savourés.

Dernière marque distinctive du patois, la présence insistante de jurons variés. Ces interjections qui ponctuent, de façon piquante, les discours que Molière place dans la bouche de ses paysans sont souvent des déformations de formules blasphématoires. En voici un rapide inventaire, avec leurs significations d'origine•.

• *Il est entendu que ces jurons n'ont plus ce sens précis dans les dialogues, où ils servent seulement à mettre l'accent sur une affirmation, à marquer la colère, l'impatience, etc.*

Jerniguenne, Jerniquenne, Jernigué, Jerni, Jarni : Je renie Dieu.
Mon Quieu, Mon Guieu : Mon Dieu.
Morquenne, Marquenne, Morqué : [par la] Mort [de] Dieu.
Nostre-Dinse : Notre Dame.

Palsanquienne, Palsanqué : Par le sang de
Dieu.
Parquienne, Parquenne : Par Dieu.
Testiguienne, Testigué, Testiguenne : [Par la]
tête [de] Dieu.
Ventrequenne, Ventrequé : [Par le] Ventre [de]
Dieu.

Molière a sagement limité ces jeux de langage à un seul acte de sa pièce, évitant
d'en faire un procédé trop systématique et
lassant.

PARADOXES ET IRONIE

D'autres ressorts comiques relèvent d'une
tradition plus noble, héritée de la rhétorique antique. Patrick Dandrey [1] a récem-
ment mis en lumière la dette de Molière
envers le genre de l'*éloge paradoxal* ; il
propose même de voir dans le recours
constant au paradoxe et à l'optique ironique le principe de cohérence de l'œuvre,
et la clé de sa signification profonde. Mais
qu'est-ce qu'un éloge paradoxal ? Un discours dont l'écriture

procède de l'exploitation facétieuse ou satirique, didactique ou ludique, [...] du décalage
entre un discours emphatique régulier, ayant
toutes les apparences du conformisme, et la
thèse ou l'objet qui s'y trouve loué contre
l'évidence, la logique et l'opinion couramment
admise – ou simplement contre toute attente.
Le principe, on le voit, consiste à jouer tout à
la fois sur la *parodie* quant au discours et sur
le *paradoxe* quant à la thèse ou l'objet choi-
sis [2].

---

1 Ces réflexions se fondent en grande partie sur deux de ses
ouvrages : *Dom Juan ou la critique de la raison comique*,
Champion, 1993 ; *L'Éloge paradoxal de Gorgias à Molière*,
PUF, coll. « Écriture », 1997.
2. Patrick Dandrey, *Dom Juan ou la critique de la raison comique*,
p. 19

Dossier

Autrement dit : l'éloge paradoxal joue sur les procédés, les clichés et les figures qui permettent de célébrer un objet ou une idée jugée *positivement*, mais en les détournant pour les appliquer à quelque chose que l'on a coutume de juger *négativement* – et qu'il conviendrait donc, au contraire, de blâmer. Le genre est potentiellement comique du fait de ce décalage, et du ton quasi parodique qu'il appelle : il affirme une opinion provocante en l'argumentant par une série de raisons fallacieuses, mais dans les règles du raisonnement sérieux. Sganarelle analyse ce procédé de sophiste• avec naïveté, mais avec justesse, quand il observe : « vous tournez les choses d'une manière, qu'il semble que vous avez raison, et cependant il est vrai que vous ne l'avez pas » (I, II). Il est aisé de relever dans *Dom Juan* une série d'éloges paradoxaux développés dans d'assez longues tirades. L'éloge facétieux du tabac, débité par Sganarelle en guise de prologue (I, I), donne le ton de la pièce ; il est suivi d'un éloge de l'inconstance par Dom Juan (I, II), d'un éloge de l'ignorance par Sganarelle (III, I : « pour avoir bien étudié, on est bien moins sage le plus souvent. Pour moi, Monsieur, je n'ai point étudié comme vous, et personne ne saurait se vanter de m'avoir rien appris »), d'un éloge de l'hypocrise par Dom Juan (V, I). Il faut y ajouter un *blâme paradoxal* de l'honneur par Dom Carlos – étonnante remise en cause par un aristocrate des valeurs qui fondent sa caste (III, III : « je trouve la condition d'un gentilhomme malheureuse, de ne pouvoir point s'assurer sur toute la prudence et l'honnêteté de sa conduite, d'être asservi par les

• *L'éloge paradoxal est l'invention des rhéteurs antiques : pour montrer ses talents oratoires, on s'ingéniait à composer des éloges de la calvitie, de la fièvre ou de la puce comme on fait l'éloge de la vertu ; on imaginait aussi des argumentations contradictoires, pour et contre, sur un même sujet. Le genre s'est transmis jusqu'au XVIIe siècle comme exercice rhétorique.*

lois de l'honneur au dérèglement de la conduite d'autrui »).

En jouant de la virtuosité verbale ou d'arguments bouffons pour parvenir à des conclusions provocantes, ces tirades participent du comique de la pièce ; elles ont aussi une valeur plus profonde. Elles constituent un apport original au sujet : jamais Don Juan n'avait été représenté sous les traits d'un raisonneur appliqué à *justifier* sa conduite immorale. Ce faisant Molière, s'il n'invite pas à partager les convictions de son personnage, et à prôner avec lui l'inconstance, l'incroyance ou l'hypocrisie, donne à ses spectateurs et à ses lecteurs une leçon de scepticisme : la vertu du paradoxe, qui prend le contre-pied des opinions admises, est justement de dénoncer certaines illusions, de remettre en cause des jugements que l'on croyait solidement établis.

Enfin, ruse suprême du dramaturge, l'arme du paradoxe se double d'une ironie mordante pour suggérer à demi-mots certaines vérités dérangeantes : l'éloge de l'hypocrisie prononcé par un libertin feignant d'être touché par la grâce est ainsi une attaque en règle contre une dévotion affectée avec trop de rigueur, implicitement accusée de cacher la pire noirceur morale. Les paradoxes font rire ; ils invitent aussi à se défier des apparences qui se révèlent parfois trompeuses. On peut même se demander si ce point de vue ironique ne caractérise pas l'attitude de Molière lorsqu'il feint de respecter la morale traditionnelle de la légende de Don Juan. Comme ses prédécesseurs, il conclut sa pièce sur la punition divine de l'athéisme ; auparavant pourtant, les discours et la conduite du libertin lui auront permis de remettre en question quelques certitudes bien ancrées, et pour finir (comme l'ont observé ses adversaires) le châtiment surnaturel est tourné en dérision par sa représentation sous forme de flammes de carton et de « foudre en peinture ». Quant à la défense de la religion, elle est confiée à Sganarelle, qui s'acquitte de cette tâche avec la même bouffonnerie qu'il déploie pour vanter les vertus miraculeuses du tabac ou de l'ignorance ! Toute la pièce peut alors être lue – et sans doute est-ce sa vertu comique la plus profonde – comme une vaste *défense paradoxale et ironique de la religion* : une défense tellement artificielle, fondée sur des arguments si fragiles et souvent si ridicules, qu'elle prête à rire – invitant le spectateur ou le lecteur sinon à l'athéisme, du moins au scepticisme.

UNE INTRIGUE DE FUITE

Une comédie ne peut accueillir pareille prolifération d'effets comiques de toutes natures que si elle repose sur une intrigue ferme et équilibrée. Mais la cohérence de l'action dans *Dom Juan* n'est pas telle qu'on l'imaginerait : alors que spectateurs et lecteurs, abusés par les paroles incessantes du héros, peuvent avoir le sentiment que ses désirs et sa volonté constituent le moteur essentiel de la pièce, une analyse dramaturgique serrée révèle la rupture opérée par Molière entre maîtrise de la parole et maîtrise de l'action. Virtuose du verbe, Dom Juan est sur la défensive dès qu'il faut agir ; loin de posséder la vigueur conquérante du personnage de Tirso, il semble pris au long des cinq actes dans une *fuite* perpétuelle qui gouverne et unifie l'intrigue. Comme le fait remarquer Georges Forestier, « Molière a fait reposer sa pièce sur une absence d'action de son personnage principal tout en donnant une illusion d'action ».

[...] à suivre le texte de près, on constate que le dramaturge a tout fait pour que nous retirions l'impression nette que son héros n'agit pas. En tout et pour tout, Dom Juan *se prépare* à agir, à l'acte I. Cette action (la tentative d'enlèvement de la jeune fiancée), le spectateur ne la voit pas, apprenant simplement qu'elle a échoué piteusement au milieu des vagues où le héros a failli laisser sa vie. À partir du début de l'acte II, le hasard des apparitions, l'errance, la fuite, et le défilé des poursuivants vont l'empêcher non seulement de mettre à exécution d'autres projets qui concrétiseraient son beau programme initial, mais d'exprimer ne serait-ce que l'idée d'un autre projet. [...] Dès ce second acte, le schéma organisationnel de l'action est donc mis en place : passivité du personnage principal, qui se contente d'agir *à l'intérieur* des situations créées par les autres ; dynamisme (inversement proportionnel) des personnages humains ou surnaturels (à partir de l'acte III) qui le harcèlent.

Car dénier toute action à Dom Juan, ce n'est pas nier le dynamisme de la pièce. Celui-ci résulte de l'action en fonction [d'une] *unité de péril* [...]. Dom Juan est en effet un personnage perpétuellement poursuivi. [...] À l'acte V, le contraste entre la double poursuite (humaine et céleste) et ce qu'on peut appeler l'activisme de surface de Dom Juan est encore plus flagrant. Le *Dom Juan* de Molière est, en effet, la seule version du mythe dans laquelle le héros ne va pas au-devant de la Statue. Et ce fait fondamental a été constamment occulté parce qu'on lit la pièce à la lumière des autres *Don Juan*. [...]

Il y a donc quelque chose de tout à fait exceptionnel dans le *Dom Juan* de Molière, qui est le contraste entre la structure de surface et la structure profonde de l'action. D'un côté, un *personnage* constamment présent en scène, qui paraît se déplacer sans cesse et qui monopolise presque la parole. De l'autre, un *actant* qui, loin d'occuper la position du sujet de l'action, constitue au contraire l'objet des actions de tous les autres actants[1].

Ainsi le Dom Juan de Molière apparaît-il finalement comme un beau parleur sans prise réelle sur une action qu'il subit ; un personnage qui sans cesse se dérobe, dont la destinée dramatique est placée non pas sous le signe du défi (comme l'ont cru les romantiques) mais sous le signe de l'esquive. Cette conduite de fuite, de la part d'un personnage qui se prétend séducteur, conquérant, est inséparable de son *aveuglement* : alors qu'il se veut supérieurement lucide, Dom Juan se révèle tout au long de la pièce incapable de déchiffrer les signes que le Ciel lui adresse.

LE CONTEXTE THÉOLOGIQUE ET RELIGIEUX

Il est difficile de comprendre et d'analyser correctement *Dom Juan* si l'on ignore quelques notions théologiques essentielles, partagées par Molière et son public parce qu'elles faisaient partie intégrante de la culture de leur temps. La logique de l'action et la portée subversive de la pièce s'éclairent si l'on connaît le sens précis de certains termes-clés, qui fondent explicitement ou implicitement la signification de l'œuvre : ce sont entre autres les concepts d'*endurcissement*, de *conversion* et de *charité*.

1. Georges Forestier, « Langage dramatique et langage symbolique dans le *Dom Juan* de Molière », article reproduit dans l'ouvrage de Pierre Ronzeaud, *Molière / Dom Juan*, Klincksieck, coll. « Parcours critique », 1993, p. 161-164.

• *L'endurcissement.* Le terme désigne précisément l'état d'une âme engagée dans la voie du mal avec tant d'obstination que vient le moment où Dieu lui retire sa bienveillance pour la vouer irrévocablement à la damnation•. Ce moment ultime est précédé de nombreux avertissements (les « bonnes remontrances »), d'occasions de se repentir de ses fautes et de revenir dans le chemin du salut ; que le pécheur néglige ces occasions, jusqu'à la dernière, le Ciel en tirera les terribles conséquences et le précipitera en enfer.

• *Le* Dictionnaire *de* Furetière *définit ainsi* l'endurcissement : « *Dureté de cœur et de conscience. Il ne se dit qu'au figuré, pour marquer une grande accoutumance au vice, et une résistance à toutes les bonnes remontrances. On désespère du salut d'une âme, quand elle est tombée dans* l'endurcissement. »

Toute la structure dramatique de *Dom Juan* repose sur la doctrine de l'endurcissement [1]. La pièce est rythmée par les avertissements que les personnages secondaires prodiguent infatigablement au libertin endurci. Sganarelle : « Apprenez [...] que le Ciel punit tôt ou tard les impies, qu'une méchante vie amène une méchante mort » (I, ii) ; Done Elvire : « le Ciel te punira, perfide, de l'outrage que tu me fais » (I, iii) ; la statue du Commandeur, dont Sganarelle interprète ainsi les mouvements : « je ne doute point que le Ciel, scandalisé de votre vie, n'ait produit ce miracle pour vous convaincre » (IV, i) ; Dom Louis (IV, iv) ; le Spectre enfin, apparition surnaturelle qui fait figure de dernier avertissement avant la damnation : « Dom Juan n'a plus qu'un moment à pouvoir profiter de la miséricorde du Ciel, et s'il ne se repent ici, sa perte est résolue » (V, v). Dom Juan ignore ou repousse obstinément toutes les occasions que le ciel lui offre de se repentir, jusqu'à la der-

---

1. Voir l'article de Jacques Truchet, « Molière théologien dans *Dom Juan* », reproduit dans l'ouvrage de Pierre Ronzeaud, *Molière / Dom Juan*, p. 83-92.

nière (« Non, non, il ne sera pas dit, quoi qu'il arrive, que je sois capable de me repentir », V, v) : écarter ces grâces offertes en persévérant dans le vice, le péché et le blasphème constitue une circonstance aggravante. Dès lors, la perte de Dom Juan est scellée ; le point culminant de la pièce est atteint, qui amène la résolution de l'implacable tension dramatique créée par cette série d'avertissements, quand la Statue vient exécuter le châtiment divin désormais inévitable : « Dom Juan, l'endurcissement au péché traîne une mort funeste, et les grâces du Ciel que l'on renvoie ouvrent un chemin à sa foudre » (V, vi).

● *La conversion.* Quelle alternative s'offrait à Dom Juan ? À quoi l'invitaient les avertissements répétés qui jalonnent la pièce ? à *se convertir.* Dans le vocabulaire religieux du XVIIᵉ siècle, ce verbe ne signifie pas seulement renoncer à sa religion pour en embrasser une nouvelle ; il désigne plus généralement le fait, pour tout homme, de s'engager dans la bonne voie – celle, nécessairement, du salut par la foi catholique – en corrigeant ses opinions et ses mœurs●. Un hérétique, un débauché ou simplement un croyant qui a mené une vie quelque peu relâchée opèrent leur conversion quand ils se tournent enfin, éclairés par la grâce de Dieu, vers une conduite conforme à la religion.

Dans l'intrigue de la pièce de Molière, les personnages qui, en un ballet incessant, viennent mettre en garde Dom Juan contre la colère du Ciel désireraient le voir se convertir ; certains s'y emploient même activement. Aux menaces (Sganarelle, Elvire), aux imprécations (Dom Louis) succède, par une gradation habile, la

● *Le* Dictionnaire de Richelet *définit ainsi la* conversion : « *Changement que Dieu opère dans le cœur d'un pécheur, et par lequel il l'attire à la foi.* » *Convertir* quelqu'un, *c'est l'obliger* « à quitter le vice et le libertinage, et à chercher les voies de salut ».

seconde apparition d'Elvire (IV, VI) offrant sa conversion en exemple au libertin dont elle était éprise : « je suis revenue, grâces au Ciel, de toutes mes folles pensées, ma retraite est résolue, et je ne demande qu'assez de vie pour pouvoir expier la faute que j'ai faite, et mériter par une austère pénitence le pardon de l'aveuglement où m'ont plongé les transports d'une passion condamnable ». En se présentant ainsi changée, apaisée, Elvire a le dessein d'inciter Dom Juan à corriger sa vie et à prévenir sa perte par le repentir : elle l'invite à se convertir à son tour. Mais elle prêche dans le désert, comme le prouvent les réactions détachées du séducteur...

À l'ouverture du dernier acte (V, I), pourtant, Molière réserve à ses spectateurs une extraordinaire péripétie : Dom Juan apparaît... converti ! Le discours que tient alors le personnage constitue une définition parfaite des effets de la conversion dans l'âme d'un pécheur : perçue comme la fin d'un aveuglement, une révélation sur ses égarements que l'on doit à la grâce de Dieu, elle oblige à se repentir publiquement pour corriger ses fautes passées•. Mais il ne s'agit que d'une feinte – et d'un faux dénouement du *suspense* religieux de la pièce : Dom Juan, en se jouant par cette hypocrisie de sa dernière voie de salut, se voue de façon presque certaine à la damnation, comme l'observe Sganarelle (V, II) : « Ô Ciel ! [...] Il ne vous manquait plus que d'être hypocrite pour vous achever de tout point, et voilà le comble des abominations. »

• *La charité.* Parmi les occasions de racheter ses péchés que Dom Juan néglige, il en est une qui donne lieu à une scène

• « vous me voyez revenu de toutes mes erreurs ... le Ciel tout d'un coup a fait en moi un changement qui va surprendre tout le monde. Il a touché mon âme, ... et je regarde avec horreur le long aveuglement où j'ai été ... je prétends . faire éclater aux yeux du monde un soudain changement de vie, réparer par là le scandale de mes actions passées, et m'efforcer d'en obtenir du Ciel pleine rémission ».

délicate à interpréter : la rencontre avec le Pauvre [1] (III, II). C'est le moment où Dom Juan, mis à l'épreuve, est invité à faire preuve de *charité*. Le terme est très fort : son sens dépasse de bien loin l'assistance matérielle qu'une aumône apporte au pauvre. Le *Dictionnaire* de Furetière en donne cette définition : « L'une des trois vertus théologales•, et celle qui est principalement recommandée aux Chrétiens. Elle consiste à aimer Dieu de tout son cœur, et son prochain comme soi-même. » C'est pour l'amour de Dieu que le pauvre doit être secouru : il est un représentant de Dieu sur terre, qui peut intercéder pour le salut de qui lui sacrifie une part de ses biens. Le Pauvre que rencontre Dom Juan est justement une sorte d'ermite, retiré dans la forêt pour consacrer son existence à la prière. Par cette image de la foi la plus exigeante, Molière fait ressortir l'impiété de son « grand seigneur méchant homme » : Dom Juan raille d'abord le Pauvre en essayant de le faire douter dans sa foi (insinuant dans son esprit le raisonnement suivant : si tu peux prier le Ciel pour autrui, comment se fait-il qu'il te laisse toi dans la misère et le dénuement matériel ? « un homme qui prie le Ciel tous les jours ne peut manquer d'être bien dans ses affaires »). Il se pose ensuite en tentateur, proposant au Pauvre d'*échanger* son aumône contre un blasphème ; tentation odieuse, réitérée trois fois•• en faisant miroiter un louis d'or aux yeux du mendiant. Celui-ci résiste, demeure ferme dans sa foi, préférant mourir de faim plutôt que pécher en jurant. Les intentions perverses

• *Les trois vertus théologales – la Foi, l'Espérance et la Charité – sont les vertus essentielles pour le salut de l'âme.*

•• *« ah ah, je m'en vais te donner un louis d'or tout à l'heure pourvu que tu veuilles jurer »* ... *« Tu n'as qu'à voir si tu veux gagner un louis d'or ou non, en voici un que je te donne, si tu jures ; tiens, il faut jurer ... À moins de cela, tu ne l'auras pas »* ... *« Prends, le voilà, prends, te dis-je, mais jure donc. »*

---

1. Voir l'article de Jacques Morel, « La scène du Pauvre », reproduit dans l'ouvrage de Pierre Ronzeaud, *Molière / Dom Juan*, p. 77-82.

de Dom Juan sont mises en échec ; le libertin s'en tire en jetant son aumône avec condescendance, l'accompagnant d'une formule qui sonne comme un blasphème : « Va, va, je te le donne pour l'amour de l'humanité » – opposée très clairement à l'idée de charité chrétienne conçue comme un don *pour l'amour de Dieu*•.

• *Figurer ainsi l'impiété et le blasphème sur le théâtre, c'était aller trop loin : Molière dut supprimer cette scène hardie après la première représentation.*

POLÉMIQUES AUTOUR DE *DOM JUAN*

Dom Juan n'a pas suscité de véritable querelle littéraire, comparable à celle de *L'École des Femmes*•. La pièce fut tout de même la cible d'attaques virulentes : l'une des premières fut un sonnet anonyme qui dut courir Paris dans les jours suivant les premières représentations, connu seulement par un manuscrit.

• *L'École des Femmes fut attaquée ou défendue, tant du point de vue littéraire que moral, par de multiples comédies et pamphlets, en un échange nourri auquel Molière prit part lui-même avec* La Critique de l'École des Femmes *et* L'Impromptu de Versailles.

Tout Paris s'entretient du crime de Molière ;
Tel dit : j'étoufferai cet infâme bouquin [1],
L'autre : je donnerai à ce maître faquin
De quoi se divertir à grands coups d'étrivière.

Qu'on le jette lié au fond de la rivière
Avec tous ces impies compagnons d'Arlequin ;
Qu'on le traite en un mot comme dernier coquin,
Que ses yeux pour toujours soient privés de
[lumière.

Tous ces maux différents ensemble ramassés
Pour son impiété ne seraient pas assez ;
Il faudrait qu'il fût mis entre quatre murailles,

Que ses approbateurs le vissent en ce lieu,
Qu'un vautour, jour et nuit, déchirât ses
[entrailles••,
Pour montrer aux impies à se moquer de Dieu [2].

•• *On reconnaît le supplice mythologique réservé à Prométhée pour punition d'un orgueil impie*

---

1 *Bouquin* : vieux bouc. Furetière : « On appelle figurément *Bouquin*, un homme puant et lascif qui a passé sa vie dans la débauche. »
2 Cité par Georges Mongrédien, *Recueil des textes et des documents du XVIIᵉ siècle relatifs à Molière*, p. 233.

Une critique argumentée de la pièce fit
suite à ces attaques haineuses. En avril
1665, un mois après les dernières représentations de *Dom Juan*, paraissait un petit
livre, *Observations sur une comédie de
Molière intitulée le Festin de Pierre*. Cet
ouvrage polémique anonyme•, présenté
comme l'œuvre d' « un chrétien [qui]
témoigne de la douleur en voyant le
théâtre révolté contre l'autel, la Farce aux
prises avec l'Évangile, un comédien qui se
joue des mystères et qui fait raillerie de ce
qu'il y a de plus saint et de plus sacré dans
la religion », développe contre *Dom Juan*
des arguments qui sont ceux des dévots,
et condamne la comédie de Molière pour
son impiété. Si le mystérieux auteur égra-
tigne au passage les qualités littéraires de
l'œuvre et les talents du dramaturge••, ses
attaques se concentrent sur le terrain de la
morale et de la religion. Ces « observations » critiques se fondent sur quatre
reproches principaux :
– *Dom Juan*, comédie où l'on voit un
grand seigneur libertin blasphémer, railler
les mystères sacrés et « décrier la dévotion
sous le nom d'hypocrisie », est une
« école du libertinage », une école de
l'athéisme qu'il fait paraître sur le théâtre ;
– la prétendue défense de la religion que
Molière a mise dans la pièce pour faire
contrepoids aux discours du débauché est
confiée à un personnage grotesque, Sganarelle, ce qui contribue en fait à discré-
diter un peu plus la foi chrétienne en
l'amalgamant avec la superstition la plus
grossière ;
– le dénouement moral de la pièce est
tourné en ridicule par sa représentation
artificielle : le châtiment de la conduite
impie du personnage inspire aux specta-

• *L'auteur des*
Observations sur le
Festin de Pierre,
*caché derrière les
initiales énigmatiques
B. A., Sr D. R., n'a
pas été identifié avec
certitude. Une
seconde édition
indique « par le
Sieur de
Rochemont », mais il
s'agit sans doute
d'un pseudonyme.*

•• *Molière, comme
souvent, est accusé
de piller ses
prédécesseurs et
d'être davantage un
comédien spécialisé
dans la farce et la
grimace qu'un
écrivain :* « on ne
pourrait dénier que
Molière n'eût bien de
l'adresse ou du
bonheur de débiter
avec tant de succès
sa fausse monnaie et
de duper tout Paris
avec de mauvaises
pièces ».

teurs moins de terreur que d'amusement, et le « foudre en peinture » qui frappe Dom Juan « n'offense point le maître, et fait rire le valet » ;

– la charge contre les faux dévots, enfin, loin d'aller dans le sens de la religion en dénonçant l'hypocrisie – comme le prétend Molière – invite le spectateur à confondre dans une même aversion le dévot véritable, animé de sentiments chrétiens, et l'hypocrite, puisqu'ils ont « une même apparence » et qu'« il n'y a que l'intérieur [les pensées, les intentions] qui les distingue ».

Ces reproches sont exposés avec véhémence dès les premières pages de l'ouvrage :

qui peut supporter la hardiesse d'un farceur qui fait plaisanterie de la religion, qui tient école du libertinage, et qui rend la majesté de Dieu le jouet d'un maître et d'un valet de théâtre, d'un athée qui s'en rit, et d'un valet plus impie que son maître qui en fait rire les autres ?

Les aspects blasphématoires de la pièce sont inventoriés plus en détail dans la suite du développement :

il serait difficile d'ajouter quelque chose à tant de crimes dont sa pièce est remplie. C'est là que l'on peut dire que l'impiété et le libertinage se présentent à tous moments à l'imagination : une religieuse débauchée, et dont l'on publie la prostitution ; un pauvre à qui l'on donne l'aumône à condition de renier Dieu ; un libertin qui séduit autant de filles qu'il en rencontre ; un enfant qui se moque de son père et qui souhaite sa mort ; un impie qui raille le Ciel, et qui se rit de ses foudres ; un athée qui réduit toute la foi à *deux et deux sont quatre, et quatre et quatre sont huit* ; un extravagant qui raisonne grotesquement de Dieu et qui, par une chute affectée, *casse le nez à ses argu-*

ments ; un valet infâme fait au badinage de son maître, dont toute la créance aboutit au Moine bourru, *car pourvu que l'on croie le Moine bourru, tout va bien, le reste n'est que bagatelle ;* un démon qui se mêle dans toutes les scènes et qui répand sur le théâtre les plus noires fumées de l'Enfer ; et enfin un Molière pire que tout cela, habillé en Sganarelle, et qui se moque de Dieu et du Diable, qui joue le Ciel et l'Enfer, qui souffle le chaud et le froid, qui confond la vertu et le vice, qui croit et ne croit pas, qui pleure et qui rit, qui reprend et qui approuve, qui est censeur et athée, qui est hypocrite et libertin, qui est homme et démon tout ensemble : *un diable incarné* comme lui-même se définit. Et cet homme de bien appelle cela corriger les mœurs des hommes en les divertissant, donner des exemples de vertu à la jeunesse, réprimer galamment les vices de son siècle, traiter sérieusement les choses saintes, et couvre cette belle morale d'un feu de charte et d'un foudre imaginaire [...] qui, bien loin de donner de la crainte aux hommes, ne pouvait pas chasser une mouche ni faire peur à une souris : en effet, ce prétendu foudre apprête un nouveau sujet de risée aux spectateurs, et n'est qu'une occasion à Molière pour braver, en dernier ressort, la justice du Ciel, avec une âme de valet intéressé, en criant *Mes gages, mes gages !* Car voilà le dénouement de la farce : ce sont les beaux et généreux mouvements qui mettent fin à cette galante pièce [1]...

Conclusion implacable de la plaquette : l'auteur en appelle au Roi, défenseur de l'Église et de la foi contre les attaques de l'impiété, pour qu'il condamne cette pièce « diabolique » qui la fait « monter avec impudence sur le théâtre ».
Ce pamphlet suscita chez les partisans de Molière deux répliques, publiées anony-

« Molière, ... habillé en Sganarelle, et qui se moque de Dieu et du Diable, qui joue le Ciel et l'Enfer, ... qui confond la vertu et le vice, qui croit et ne croit pas, ... qui est censeur et athée, qui est hypocrite et libertin, qui est homme et démon tout ensemble. »

Dossier

1. *Observations sur une comédie de Molière intitulée le Festin de Pierre*, texte recueilli dans l'ouvrage de Georges Mongrédien, *Comédies et pamphlets sur Molière*, Nizet, 1986, p. 85 et p. 89-91.

mement cette même année 1665 : une *Réponse aux observations touchant le Festin de Pierre de M. de Molière*, assez médiocre, et une *Lettre sur les Observations d'une comédie du sieur Molière intitulée le Festin de Pierre*. La défense de *Dom Juan* s'y réduit à nier toute intention ironique contre la religion, et à interpréter les attaques dont la pièce est l'objet comme une vengeance des faux dévots démasqués par Molière :

À quoi songiez-vous, Molière, quand vous fîtes dessein de jouer [1] les Tartuffes ? Si vous n'aviez jamais eu cette pensée, votre *Festin de Pierre* ne serait pas si criminel. Comme on ne chercherait point à vous nuire, l'esprit de vengeance ne ferait point trouver dans vos ouvrages des fautes qui n'y sont pas ; et vos ennemis, par une adresse malicieuse [2], ne feraient point passer les ombres pour des choses réelles, et ne s'attacheraient point à l'apparence du mal plus fortement que la véritable dévotion ne voudrait que l'on fît au mal même [3].

Ces réponses un peu laborieuses ne sont pas le fait de Molière lui-même : adoptant une attitude contraire à celle qui avait été la sienne au moment des querelles de *L'École des Femmes*, puis du *Tartuffe*, il choisit cette fois le silence en retirant rapidement sa pièce de l'affiche, sans commentaire. Les attaques formulées dans les *Observations* furent pourtant reprises l'année suivante, dans un *Traité de la comédie et des spectacles* qui porte la signature du prince de Conti. En voici un bref extrait :

---

1 *De jouer* : de moquer, de ridiculiser.
2. *Malicieuse* : malveillante.
3. *Lettre sur les Observations* .., texte reproduit dans l'ouvrage cité de Georges Mongrédien, p. 107.

Y a-t-il une école d'athéisme plus ouverte que *Le Festin de Pierre*, où, après avoir fait dire toutes les impiétés les plus horribles à un athée qui a beaucoup d'esprit, l'auteur confie la cause de Dieu à un valet, à qui il fait dire, pour la soutenir, toutes les impertinences du monde ? Et il prétend justifier la fin de sa comédie si pleine de blasphèmes, à la faveur d'une fusée, qu'il fait le ministre ridicule de la vengeance divine ; même, pour mieux accompagner la forte impression d'horreur qu'un foudroiement si fidèlement représenté doit faire dans les esprits des spectateurs, il fait dire en même temps au valet toutes les sottises imaginables sur cette aventure [1].

Le signataire de ces attaques mérite d'être présenté. Le prince de Conti (1629-1666), après une jeunesse mondaine très agitée et bien peu édifiante, marquée par la passion du théâtre•, s'était brutalement converti en 1657. Il se jeta alors dans une dévotion aussi extrême que ses débauches passées, confessant publiquement ses fautes et s'appliquant à combattre sans merci l'impiété – surtout cette forme d'impiété extrêmement dangereuse que constituait à ses yeux le théâtre. Conti fut-il le « modèle » de Dom Juan ? On l'a dit ; et s'il serait réducteur d'identifier un personnage fictif d'une extrême complexité à un être réel, il n'est par contre pas interdit de songer à Conti quand, au détour de son éloge de l'hypocrisie (V, II), Dom Juan observe : « Combien crois-tu que j'en connaisse qui, par ce stratagème, ont rhabillé adroitement les désordres de leur jeunesse, qui se sont fait un bouclier du manteau de la religion, et, sous cet habit respecté, ont la permis-

• *Le Prince fut le protecteur de la troupe de Molière de 1653 à 1657 : une familiarité assez étroite semble même avoir lié le dramaturge et son protecteur.*

Dossier

---

1. Conti, *Traité de la Comédie* (1666), cité par Georges Mongrédien, *Recueil des textes et des documents du XVIIe siècle relatifs à Molière*, p. 232-233.

sion d'être les plus méchants hommes du monde ? »

DOM JUAN RÉDUIT AU SILENCE

Malgré ces vives protestations contre la pièce, malgré l'influence des dévots à la cour, notamment auprès de la reine mère, *Dom Juan* ne fut pas interdit : cette solution extrême, qui avait brisé net la carrière de la première version du *Tartuffe*, fut sans doute évitée par l'intervention de Louis XIV. Favorable à Molière, soucieux cependant de l'émotion soulevée par la pièce, le roi dut conseiller au dramaturge d'opter cette fois pour une solution plus conciliante – d'abord en coupant, dès la deuxième représentation, certains passages parmi les plus provocants, puis en retirant de lui-même sa pièce. Ce qui fut fait à l'occasion de la relâche de Pâques : à la réouverture du théâtre, *Dom Juan* – malgré les sommes élevées investies dans les décors commandés spécialement – n'était plus à l'affiche•. Molière, contrairement à ses habitudes, n'en reprit jamais la représentation ; après avoir fait enregistrer un privilège pour faire imprimer sa pièce en mars 1665, il choisit finalement de la garder inédite. *Dom Juan* était voué au silence, et par son auteur même.

• *Entre le 15 février et le 20 mars 1665, la pièce n'avait connu que quinze représentations.*

DOM JUAN « MIS AU PAS »

La carrière littéraire et théâtrale de la pièce ne reprend donc qu'après la mort de Molière (1673). C'est d'abord sa troupe qui décide de rejouer la pièce, en 1677, mais en en proposant une version « mise en vers » par Thomas Corneille. Cette

• *Selon l'expression de Patrick Dandrey, qui a étudié cette adaptation dans la troisième partie de son ouvrage déjà cité,* Dom Juan ou la critique de la raison comique.

•• *Thomas Corneille a même greffé quelques épisodes nouveaux, de tonalité galante, sur l'intrigue originale de Molière.*

mise en vers est en fait l'occasion d'une « mise au pas• » de *Dom Juan* : la souplesse et la variété de la prose de Molière se trouvent ramenées à une versification nettement plus uniforme, en alexandrins, selon l'usage de la comédie sérieuse ; les audaces de construction de l'intrigue sont insensiblement pliées par Thomas Corneille au schéma régulier•• et aux unités du théâtre classique ; enfin les passages les plus hardis de la pièce ont été écartés de cette version expurgée. L'auteur, au reste, ne s'en cache pas, et signale dans un avertissement la part entre la fidélité au texte original et les libertés qu'il s'est données.

Cette pièce, dont les comédiens donnent tous les ans plusieurs représentations, est la même que M. de Molière fit jouer en prose peu de temps avant sa mort. Quelques personnes qui ont tout pouvoir sur moi m'ayant engagé à la mettre en vers, je me réservai la liberté d'adoucir certaines expressions qui avaient blessé les scrupuleux. J'ai suivi la prose assez exactement dans tout le reste, à l'exception des scènes du troisième et du cinquième acte où j'ai fait parler des femmes. Ce sont scènes ajoutées à cet excellent original, et dont les défauts ne doivent point être imputés au célèbre auteur sous le nom duquel cette comédie est toujours représentée.

On trouve un bon exemple de cette fidélité tempérée dans le portrait que Sganarelle trace de son maître à Gusman :

SGANARELLE

Mais par précaution, je puis ici te dire
Qu'il n'est devoirs si saints dont il ne s'ose rire ;
Que c'est un endurci dans la fange plongé,
Un chien, un hérétique, un Turc, un enragé ;
Qu'il n'a ni foi ni loi ; que tout ce qui le tente...

GUSMAN

Quoi ! le Ciel ni l'Enfer n'ont rien qui
[l'épouvante ?

Dossier

SGANARELLE

Bon ! Parlez-lui du Ciel, il répond d'un souris ;
Parlez-lui de l'Enfer, il met le diable au pis ;
Et parce qu'il est jeune, il croit qu'il est en âge
Où la vertu sied moins que le libertinage.
Remontrance, reproche, autant de temps perdu.
Il cherche avec ardeur ce qu'il voit défendu ;
Et, ne refusant rien à madame Nature,
Il est ce qu'on appelle un pourceau d'Épicure.
Ainsi ne me dis point sur sa légèreté
Qu'Elvire par l'hymen se trouve en sûreté.
C'est peu par bon contrat qu'il en ait fait sa
                                        [femme ;
Pour en venir à bout, et contenter sa flamme,
Avec elle, au besoin, par ce même contrat
Il aurait épousé toi, son chien, et son chat.
C'est un piège qu'il tend partout à chaque belle :
Paysanne, bourgeoise, et dame, et demoiselle,
Tout le charme ; et d'abord, pour leur donner
                                        [leçon,
Un mariage fait lui semble une chanson.
Toujours objets nouveaux, toujours nouvelles
                                        [flammes ;
Et si je te disais combien il a de femmes,
Tu serais convaincu que ce n'est pas en vain
Qu'on le croit l'épouseur de tout le genre humain.

GUSMAN

Quel abominable homme !

SGANARELLE

                        Et plus qu'abominable.
Il se moque de tout, ne craint ni Dieu, ni Diable ;
Et je ne doute point, comme il est sans retour,
Qu'il ne soit par la foudre écrasé quelque jour.
Il le mérite bien ; et s'il te faut tout dire,
Depuis qu'en le servant je souffre le martyre,
J'en ai vu tant d'horreurs, que j'avoue aujourd'hui
Qu'il vaudrait mieux cent fois être au Diable qu'à
                                        [lui [1].

Le mouvement de moralisation qui caractérise cette adaptation n'est nulle part plus
marqué que dans le dénouement de la

---

1. Thomas Corneille, *Le Festin de Pierre*, comédie mise en vers sur
la prose de feu M. de Molière (1683), I, i.

pièce : Thomas Corneille souligne une certaine couardise chez le personnage de Don Juan (« Laisse-moi » ; « Je t'en quitte »...) et lui prête l'esquisse d'une conversion *in extremis* (« Je brûle et c'est trop tard que mon âme interdite... »), totalement absente du texte de Molière. Il insiste enfin, de manière assez pesante, dans les derniers vers, sur la valeur exemplaire de l'histoire qui vient d'être représentée ; au point que Sganarelle, au lieu de courir en Enfer réclamer ses gages, s'apprête ici à se faire ermite !

LA STATUE, *prenant Don Juan par le bras.*
Arrête, Don Juan. [...] Encore un coup, demeure ;
Tu résistes en vain.

SGANARELLE
Voici ma dernière heure ;
C'en est fait.

DON JUAN, *à la Statue*
Laisse-moi.

SGANARELLE
Je suis à vos genoux,
Madame la Statue : ayez pitié de nous.

LA STATUE
Je t'attendais ce soir à souper.

DON JUAN
Je t'en quitte :
On me demande ailleurs.

LA STATUE
Tu n'iras pas si vite ;
L'arrêt en est donné ; tu touches au moment
Où le Ciel va punir ton endurcissement.
Tremble.

DON JUAN
Tu me fais tort quand tu m'en crois capable :
Je ne sais ce que c'est que trembler.

SGANARELLE
Détestable !

LA STATUE
Je t'ai dit, dès tantôt, que tu ne songeais pas
Que la mort chaque jour s'avançait à grands pas.

Au lieu d'y réfléchir tu retournes au crime,
Et t'ouvres à toute heure abîme sur abîme.
Après avoir en vain si longtemps attendu,
Le ciel se lasse : prends, voilà ce qui t'est dû.

> *La statue embrasse Don Juan [1] ;*
> *et, un moment après,*
> *tous les deux sont abîmés.*

DON JUAN

Je brûle, et c'est trop tard que mon âme interdite...
Ciel !

SGANARELLE

Il est englouti ! Je cours me rendre ermite.
L'exemple est étonnant pour tous les scélérats ;
Malheur à qui le voit, et n'en profite pas [2] !

---

1. C'est-à-dire : la Statue serre Don Juan dans ses bras.
2 Thomas Corneille, *Le Festin de Pierre*, V, IV-VI.

En France, la pièce de Molière et son adaptation versifiée par Thomas Corneille semblent avoir donné à la légende de Don Juan une forme intangible : peu d'auteurs se sont essayés à en donner de nouvelles versions au cours du XVIIIe siècle. En Italie, par contre, où le sujet avait été intégré de façon plus libre à la tradition théâtrale par les multiples spectacles de *commedia dell'arte*, il ne cesse d'inspirer de nouvelles œuvres : sous forme purement dramatique, Goldoni s'y frotte sans grand succès (*Don Giovanni Tenorio*, 1736) ; l'opéra prend le relais du théâtre dans les années 1770-1780.

UN DON JUAN EN MUSIQUE : DA PONTE ET MOZART

C'est précisément à l'opéra, et en langue italienne – mais à Prague – que paraît le plus marquant des Don Juan du XVIIIe siècle, avec la création le 29 octobre 1787 d'*Il Dissoluto punito ossìa il Don Giovanni* (*Le Libertin puni, ou Don Giovanni*), œuvre d'un compositeur viennois, Mozart, sur les paroles d'un librettiste italien, Lorenzo da Ponte. Les deux auteurs n'en étaient pas à leur première collaboration : ils avaient donné ensemble en 1786 *Les Noces de Figaro*, d'après la pièce de Beaumarchais. Cette fois, le livret de da Ponte doit peu de chose à la France : il ne s'inspire pas de Molière mais revient à la source du mythe, suivant d'assez près la pièce de

Tirso de Molina et s'inspirant aussi, ici et
là, de ses nombreuses adaptations italiennes.

La richesse et la diversité de la musique
confirment ce que l'on a déjà noté à propos de la *comedia* de Tirso et de *Dom
Juan* : la structure de la légende appelle le
mélange des genres et la variété de tons•.
Il serait vain de citer ici les plus beaux
passages de l'œuvre : ils sont inséparables
de la musique de Mozart. Voici juste le
célèbre air « du catalogue », au premier
acte : dans la tradition d'un très ancien jeu
de scène des comédiens *dell'arte*, Leporello s'imagine consoler Elvira en lui
déroulant la liste des conquêtes de Don
Giovanni.

• Don Giovanni *se
situe au confluent de
la veine « sérieuse »
de l'*opera seria *(airs
graves et passionnés
d'Elvira, solennité
des apparitions du
Commandeur,
damnation de Don
Giovanni) et de la
veine légère,
« bouffonne » de
l'*opera buffa
*(interventions de
Leporello, valet de
Don Giovanni, et de
Masetto, paysan
fiancé à la jeune
Zerlina que le héros
s'emploie bien sûr à
séduire).*

Jolie dame, ceci est le catalogue
Des beautés qu'a séduites mon maître ;
Catalogue dressé par moi-même :
Observez, et lisez avec moi.

Italie : six cents et quarante ;
Allemagne : deux cent trente et une ;
Cent en France ; en Turquie bien nonante ;
Mais l'Espagne : déjà mille et trois.

Il y a là des paysannes,
Des soubrettes, des bourgeoises,
Des baronnes, des comtesses,
Des marquises, des princesses,
Et des femmes de tout âge,
Toute forme, tout état.

Chez la blonde, il a l'usage
De louer la gentillesse ;
Dans la brune, la constance ;
Dans la pâle, la tendresse.

L'hiver, c'est la grassouillette ;
Et l'été, la maigrichonne ;
La grande est majestueuse,
La menue toujours mignonne.

Il conquiert les plus âgées
Par plaisir de les inscrire ;
Mais sa passion dominante,
C'est les jeunes débutantes.

Il se fiche qu'elles soient riches,
Qu'elles soient belles ou laiderons ;
Tant qu'elles portent des jupons,
Vous savez ce qu'il en fait [1].

On a choisi de placer l'opéra de Mozart et da Ponte à l'origine de la fortune du mythe après Molière : c'est en effet cette version, bien plus que notre *Dom Juan*, qui a modelé l'image que les écrivains du XIXᵉ siècle ont donné du personnage.

HOFFMANN ET LA NAISSANCE D'UN DON JUAN ROMANTIQUE

Dans un des contes qui composent les *Fantaisies à la manière de Callot* (1813), l'écrivain allemand E.T.A. Hoffmann décrit une représentation du *Don Giovanni* de da Ponte et Mozart en l'entremêlant de rêverie poétique et d'une réflexion critique sur le sens de la légende de Don Juan. Ces pages, qui sont un des plus beaux exemples de libre interprétation créatrice d'un récit mythique par un écrivain inspiré, ont puissamment contribué à donner forme au mythe *romantique* de Don Juan. Hoffmann, résumant en quelques pages la « trajectoire fatale » du personnage, en fait une allégorie de la condition de l'homme déchu : celui-ci, partagé entre ses aspirations célestes et l'imperfection de sa condition terrestre, espère trouver dans l'amour une issue à sa quête spirituelle ; il va de femme en femme sans assouvir sa soif d'absolu et, poussé par les forces du mal et le démon, retourne son entreprise

Dossier

1. Lorenzo da Ponte, *Don Giovanni*, traduction de Michel Orcel, GF-Flammarion nº 939, 1994, p. 41-43. On consultera aussi : Michel Noiray, éd., *Mozart : Don Giovanni*, *L'Avant-scène opéra*, nº 172, 1996.

de séduction en entreprise de destruction, lançant par là un défi à son créateur – défi dont la seule issue possible est la damnation•.

Don Juan fut traité par la nature comme son enfant préféré ; elle l'avait doué de tout ce qui rapproche l'homme de la divinité, l'élevant au-dessus du commun et le distinguant des ouvrages de pacotille qui, à leur sortie de l'atelier, sont de simples zéros, sans valeur s'ils ne sont pas précédés d'un chiffre. Don Juan se trouva donc prédestiné à vaincre et à dominer. Un corps vigoureux, dont la beauté prouvait à tous les regards que brûlait en lui la flamme du divin ; une sensibilité profonde, une intelligence rapide... Mais ce qui rend affreuse la condition de l'homme déchu, c'est que le Malin a gardé le pouvoir de l'épier et de lui tendre des embûches jusque dans cet effort pour embrasser l'infini, où se manifeste son origine divine. Ce conflit entre les puissances d'en haut et les pouvoirs du démon est l'essence même de la vie terrestre ; alors que la victoire remportée constitue la vie surnaturelle. Don Juan voulait tout posséder de la vie, parce que sa nature physique et sa puissance intellectuelle l'y portaient, et le feu du désir était toujours allumé dans ses veines. Sans cesse, il jetait des mains avides sur toutes les formes du monde sensible, cherchant vainement en elles sa satisfaction.

Or il n'est rien, sur cette terre, qui exalte davantage que l'amour la nature profonde de l'homme. L'amour, dont l'action est mystérieuse et toute-puissante, peut détruire ou transfigurer jusqu'aux éléments de l'existence. Comment s'étonner que Don Juan ait demandé à l'amour d'apaiser les ardeurs qui le consumaient, et que ce soit par là que le diable ait mis le grappin sur lui ? Le Malin suggéra perfidement à Don Juan que l'amour, la jouissance de la femme, pouvaient réaliser ici-bas ce que nous ne connaissons que comme une promesse de la vie future, ou comme ce désir de l'âme

• *Cette interprétation métaphysique de la légende, qui fait du personnage de Don Juan un révolté assez audacieux pour se mesurer à la puissance divine (frère spirituel, en cela, de deux autres héros mythiques : Prométhée et Faust) a parfois été projetée abusivement sur le Dom Juan de Molière.*

qui nous met en relation immédiate avec le surnaturel.

Sans cesse courant d'une belle femme à une
autre plus belle ; jouissant de chacune d'elles
avec une folle passion, jusqu'à satiété, jusqu'à
l'ivresse destructrice ; toujours croyant s'être
trompé dans son choix, et espérant toujours
découvrir quelque part la satisfaction défini-
tive, comment Don Juan n'eût-il pas à la fin
trouvé la vie terrestre plate et insipide ? Parvenu au souverain mépris de toute l'humanité,
il se révolta plus violemment encore contre la
créature en laquelle il avait vu le bien suprême
et qui l'avait amèrement déçu.

Dès lors Don Juan ne chercha plus dans la possession de la femme l'assouvissement de sa
sensualité, mais un défi ironique lancé à la
nature et au Créateur. Sa rébellion, je le répète,
fut dirigée surtout contre les femmes, d'abord
par un profond dédain qui le poussait à braver
l'opinion, et ensuite par amère dérision envers
tous ceux qui attendent d'un amour heureux et
de l'union bourgeoise qui lui succède la satisfaction, même incomplète, des hautes aspirations que la nature ennemie a déposées en
nous. Il en vint donc à la révolte et se dressa,
pour le détruire, face à l'Être inconnu, arbitre
de nos destins, qui n'était plus à ses yeux
qu'un monstre pervers, se jouant cruellement
des pitoyables créatures nées de son caprice.
Séduire une fiancée chérie, détruire irrémédiablement l'amour heureux d'un couple n'est
plus désormais pour Don Juan qu'autant de
victoires remportées sur ce Maître détesté. Il a
le sentiment de s'élever ainsi au-dessus de son
étroite condition terrestre, au-dessus de la
nature et de Dieu lui-même ! Et vraiment, il
n'aspire plus qu'à s'évader de cette vie, mais
c'est pour se précipiter en enfer [1].

« Dès lors Don Juan ne chercha plus dans la possession de la femme l'assouvissement de sa sensualité, mais un défi ironique lancé à la nature et au créateur. »

Dossier

---

1. E.T.A. Hoffmann, « Don Juan. Rêverie d'un voyageur
enthousiaste », extrait des *Fantaisies à la manière
de Callot* (1813-1815), traduction de Henri Egmont (1836).

POUCHKINE :
UN DON JUAN LYRIQUE OU CYNIQUE ?

Dans la constellation des Don Juan romantiques marqués par l'influence de *Don Giovanni,* le bref poème dramatique de Pouchkine intitulé *Le Convive de pierre* (1830) brille d'un éclat particulier. La fusion des diverses composantes du mythe aboutit à une épure (cinq courtes scènes), appropriation personnelle par l'écrivain russe du canevas légendaire. Don Juan, banni pour avoir tué en duel le Commandeur, revient incognito à Madrid. Curieux de voir le tombeau de sa victime, il y découvre sa veuve, Doña Anna. Afin de la séduire, il se fait passer pour un moine, et arrache finalement à la belle veuve un rendez-vous galant. Dans sa joie, il prie pour rire son valet Leporello d'inviter la statue du Commandeur à venir faire le guet... La Statue opine. Une entrevue lyrique permet à Don Juan d'avouer à Doña Anna son amour : en gage de sincérité, il lui révèle même son identité, et la prie de lui pardonner la mort de son mari. Repentir, conversion à un amour épuré – ou suprême ruse ? Doña Anna ni le lecteur ne le sauront, car la statue du Commandeur est déjà là, qui emporte le séducteur en Enfer...

La place manque pour évoquer ici quelques autres Don Juan romantiques : en langue anglaise, le vaste poème épique et satirique de Lord Byron, Don Juan *(1819-1824) ; le poème dramatique de l'écrivain allemand Lenau,* Don Juan *(1844) ; enfin, juste retour du mythe dans sa contrée d'origine, le grand drame religieux espagnol de José Zorrilla,* Don Juan Tenorio *(1844).*

DOÑA ANNA

Laisse-moi.
(d'une voix faible) Tu es mon ennemi
tu m'as ravi tout ce qu'au monde...

DON JUAN

Douce femme !
Je voudrais racheter avec mon être entier
ce coup fatal ; j'attends à tes pieds ma sentence.
Ordonne, et je mourrai ; ordonne, et c'est pour toi,
pour toi seule, que mon cœur battra.

Doña Anna

Est-ce là
don Juan ?...

Don Juan

N'est-ce pas, on vous l'avait décrit
comme un malfaiteur, un monstre, ô doña Anna ?
Ces bruits peut-être ne sont pas sans vérité,
il est peut-être lourd, le fardeau de mes fautes,
et ma conscience est bien lasse ; longtemps je fus
des plus zélés à l'école de la débauche,
mais dès l'instant où je vous ai vue, il me semble
que le vieil homme est mort en moi ; vous
                       [adorant,
c'est la vertu que j'aime, et, le cœur apaisé,
devant elle, en tremblant, pour la première fois
je m'agenouille.

Doña Anna

Ah, don Juan est fort éloquent,
on me l'a dit ; c'est un séducteur plein de ruse.
On dit que vous êtes impie et dissolu,
un vrai démon. Combien de malheureuses
                       [femmes
se sont par vous anéanties ?

Don Juan

Il n'en est pas
une seule jusqu'à présent que j'aie aimée.

Doña Anna

Je ne puis croire que pour la première fois
don Juan aime vraiment, et qu'il n'ait pas cherché
une victime encore en moi !

Don Juan

Si je voulais
vous abuser, aurais-je donc fait cet aveu,
aurais-je prononcé ce nom que votre oreille
ne peut entendre ? Où vit-on jamais telle ruse,
telle duplicité ?

Doña Anna

Qui vous connaît ?
[...]   Mais qu'est-ce donc ? ces coups ?
Ô don Juan, cache-toi !

DON JUAN

Adieu, ma douce amie,
jusqu'à demain.
*(Au moment de franchir la porte,
il sursaute et recule)*
Ah !

DOÑA ANNA

Qu'as-tu donc ?
*(Entre la statue du Commandeur.
Doña Anna s'évanouit)*

LA STATUE

Je suis venu
sur ton appel.

DON JUAN

Oh Dieu ! Doña Anna !

LA STATUE

Tu dois
la quitter. Tout est fini. Voici que tu trembles,
don Juan.

DON JUAN

Moi ? Non. Je t'avais invité, tu viens,
j'en suis ravi.

LA STATUE

Tends-moi la main.

DON JUAN

Voici. Oh sa
dextre de pierre, o pesanteur de cette étreinte !
Va-t-en, lâche ma main, laisse. Je suis perdu.
Voici la fin. Doña Anna, doña Anna [1]...

LA CRISTALLISATION DU MYTHE

Une énigme demeure : comment la
légende de Don Juan, construite sur un
sujet moral (un libertin impénitent finalement puni, et de quelle manière exemplaire) a-t-elle pu donner naissance à un
véritable *mythe* moderne reposant essentiellement sur la fascination et la séduction

---

[1] Alexandre Pouchkine, *Le Convive de pierre* (1830), traduction de
Henri Thomas, Seuil, coll « Le don des langues », 1947, p. 95-103

troubles exercées par le personnage immoral ? Don Juan, malgré sa damnation, demeure bien vivant dans l'imaginaire – davantage en tout cas que le Commandeur, dont le triomphe n'est finalement que de pure forme. Le critique italien Giovanni Macchia propose d'expliquer ainsi ce paradoxe : la composante religieuse du mythe est en fait secondaire pour le public ; plus qu'un *théoricien* de l'athéisme, Don Juan est un *génie de la pratique*•. Représenté toujours en mouvement, à la poursuite des joies immédiates de l'existence, insoucieux de la morale et des lois, le personnage séduit par sa vigueur et par l'impassibilité qu'on lui prête devant le châtiment final : d'où son paradoxal statut héroïque, qu'ont perpétué jusqu'à nos jours tant d'œuvres littéraires, dramatiques ou cinématographiques.

• *Son machiavélisme appliqué à l'amour fait de Don Juan l'ancêtre du Valmont des* Liaisons dangereuses *de Laclos (1782).*

L'athéisme n'est que la condition préliminaire du donjuanisme, la base solide sur laquelle le héros s'appuiera dans sa revendication obstinée de la liberté, l'épée affilée avec laquelle il tranchera tous les liens qui l'attachent à la religion et à la morale. Cette liberté [...] doit se transmuer en pur amour de la vie. Le sentiment du néant, propre au XVIIᵉ siècle, ce mépris de l'éternel « *memento mori* »•• [...] doivent se renverser positivement en vitalité frénétique, en exaltation de la femme, non pas comme objet de culte au sens médiéval ou pétrarquiste, mais comme source inépuisable d'une jouissance toute terrestre. [...]

•• *Cette formule latine qui signifie « souviens-toi que tu es mortel » venait rappeler à tout homme le terme inéluctable de la vie, et invitait le croyant à y préparer son âme à tout instant. Elle est à l'opposé de la devise insouciante du Don Juan de Tirso, « bien lointaine est votre échéance ! »*

Nullement fasciné par les débats théologiques ou simplement théoriques, don Juan a d'autres chats à fouetter : c'est un génie de la pratique. Le moment venu, pour les besoins de la cause, il pourra même, lorsque cela l'arrange, renier son athéisme (comme cela arrive chez Molière). Mais il reste toujours lui-même.

Dossier

[...] la légende se fonde sur une irrémédiable séparation entre le ciel et la terre, élément lui aussi typiquement populaire. Don Juan représente la terre sans le ciel, avec ses délices immédiates et concrètes. Ce que pouvaient être les délices célestes, il n'était pas donné au public de le voir. Le ciel condamne, il ne cesse d'adresser d'inutiles invitations au repentir, mais il ne promet rien de précis. Il ne restait donc plus au bon public qu'à jouir de la jouissance de don Juan, à s'amuser même lorsqu'il tuait, heureux cependant, jésuitiquement, de ne pas être entraîné dans la damnation du pécheur. Sa cruauté associée à l'érotisme, expression totale de l'être, sa façon d'aller droit au but, courageusement, faisaient de lui une sorte d'anti-héros que le public aimait diaboliquement. Mais en même temps l'incroyable ardeur qu'il déploie dans la poursuite d'un objectif jugé futile, sujet digne tout au plus de nouvelles licencieuses, d'anecdotes piquantes, son impassibilité face au châtiment et à la mort, son refus du lâche repentir, son affirmation d'un sentiment chevaleresque et féodal de l'honneur, en faisaient aussi un héros. Le sexe, servi par une vitalité inépuisable, acquiert à travers lui une dimension extraordinaire, qui débouchera sur la psychopathie sadienne. On a dit que l'amour est une invention du XIIᵉ siècle. Mais c'est le XVIIᵉ siècle qui a inventé l'érotisme, avec toutes ses dégénérations et sa folie : il a inventé don Juan [1].

> *« sa cruauté associée à l'érotisme, expression totale de l'être, sa façon d'aller droit au but, courageusement, faisaient de Don Juan une sorte d'anti-héros que le public aimait diaboliquement. »*

BAUDELAIRE : DON JUAN AUX ENFERS

On voudrait conclure ce parcours avec une dernière image de Don Juan, celle qu'en donne Baudelaire dans un superbe poème des *Fleurs du mal* (1857), « Don Juan aux Enfers ». Ce tableau saisissant, sans doute inspiré d'une toile de Delacroix (*Le Naufrage de Don Juan*, au Louvre), accomplit

---

1. Giovanni Macchia, *Vie, aventures et mort de Don Juan*, p. 13-14.

en effet la synthèse des multiples facettes de la légende et du mythe du grand seigneur méchant homme.

On y trouve des allusions précises à la comédie de Molière : Don Luis outragé (V, I), Sganarelle réclamant ses gages (V, VI), Elvire énamourée encore, et surtout le Pauvre (III, II) qui prend ici une sourde revanche sur l'offense faite à Dieu en sa personne. C'est en effet avec cette figure de « sombre mendiant » que Baudelaire choisit d'ouvrir son poème, imaginant qu'il propulse la barque emmenant Don Juan aux enfers – barque dont le gouvernail est tenu par la figure hiératique du Commandeur, évoquée dans la dernière strophe comme pour fermer le sinistre cortège. L'atmosphère étrange qui baigne tout le poème vient sans doute de ce que Baudelaire a transporté le châtiment *chrétien* de la légende dans les profondeurs infernales de la mythologie gréco-latine : l'obole que Don Juan a dû donner à Charon, le passeur du fleuve des enfers, apparaît comme un renversement ironique de celle qu'il promettait au Pauvre à condition de renier Dieu. Ce Don Juan, pourtant, « calme héros » qui veut paraître insensible à son sort et contemple méditativement le sillage laissé par la barque qui l'emporte, c'est bien le Don Juan romantique : esprit fort et maître de lui, que le défi qu'il a lancé à la divinité n'a pas intimidé – pas plus que ne l'effraie la damnation qui l'attend – et qui jusqu'au bout a refusé le repentir•.

• *Baudelaire avait d'ailleurs intitulé son poème* L'Impénitent *lors de sa première publication, en 1846.*

Quand Don Juan descendit vers l'onde souterraine
Et lorsqu'il eut donné son obole à Charon,
Un sombre mendiant, l'œil fier comme
[Antisthène,
D'un bras vengeur et fort saisit chaque aviron.

Montrant leurs seins pendants et leurs robes
                                    [ouvertes,
Des femmes se tordaient sous le noir firmament,
Et, comme un grand troupeau de victimes
                                    [offertes,
Derrière lui traînaient un long mugissement.

Sganarelle en riant lui réclamait ses gages,
Tandis que Don Luis avec un doigt tremblant
Montrait à tous les morts errant sur les rivages
Le fils audacieux qui railla son front blanc.

Frissonnant sous son deuil, la chaste et maigre
                                    [Elvire,
Près de l'époux perfide et qui fut son amant,
Semblait lui réclamer un suprême sourire
Où brillât la douceur de son premier serment.

Tout droit dans son armure, un grand homme
                                    [de pierre
Se tenait à la barre et coupait le flot noir ;
Mais le calme héros, courbé sur sa rapière,
Regardait le sillage et ne daignait rien voir.

Pas plus que chez Molière, le lecteur n'accède aux sentiments, à l'intériorité de Don Juan, ne peut deviner ce que pense le libertin maintenant placé face à la réalité de son châtiment : c'est à jamais qu'il demeure un personnage impénétrable et fascinant.

BIBLIOGRAPHIE

LA LANGUE DU XVIIᵉ SIÈCLE

FOURNIER, Nathalie, *Grammaire du français classique*, Belin, « Sup Lettres », 1998.

FURETIÈRE, Antoine, *Dictionnaire universel* (1690) ; consultable en ligne, www.furetière.eu

GREEN, Eugène, *La Parole baroque*, Desclée de Brouwer, « Texte et voix », 2001.

RICHELET, Pierre, *Dictionnaire français, édition augmentée* (1693).

SANCIER-CHATEAU, Anne, *Introduction à la langue du XVIIᵉ siècle*, Nathan, « 128 », 1993, 2 t. : *1. Vocabulaire, 2. Syntaxe.*

LE CONTEXTE HISTORIQUE

BÉLY, Lucien, *La France au XVIIᵉ siècle. Puissance de l'État, contrôle de la société*, PUF, 2009.

BLUCHE, François (éd.), *Dictionnaire du Grand Siècle*, Fayard, 1990.

ROHOU, Jean, *Le XVIIᵉ siècle, une révolution de la condition humaine*, Seuil, 2002.

LA LITTÉRATURE FRANÇAISE DU XVIIᵉ SIÈCLE, GÉNÉRALITÉS

BÉNICHOU, Paul, *Morales du Grand Siècle* (1948), rééd. Gallimard, « Folio essais », 1988.

CONESA, Gabriel, *La Comédie de l'âge classique. 1630-1715*, Seuil, « Écrivains de toujours », 1995.

GÉNETIOT, Alain, *Le Classicisme*, PUF, « Quadrige », 2005.

GILOT, Michel et SERROY, Jean, *La Comédie à l'âge classique*, Belin, « Sup Lettres », 1997.

ZUBER, Roger et CUÉNIN, Micheline, *Le Classicisme. 1660-1680*, Arthaud, 1983, rééd. GF-Flammarion, 1998.

ZUBER, Roger (éd.), *Littérature française du XVIIᵉ siècle*, PUF, « Premier Cycle », 1992.

ÉDITIONS DES ŒUVRES DE MOLIÈRE

Les Œuvres de Monsieur de Molière. Revues, corrigées & augmentées (1682) : fac-similé, Genève-Paris, Minkoff Reprint, 1973, 8 t. (*Dom Juan* se trouve dans le t. VII.)

MOLIÈRE, *Œuvres complètes*, éd. Georges Forestier et Claude Bourqui, Gallimard, « Bibliothèque de la Pléiade », 2010, 2 t. (*Dom Juan* se trouve dans le t. II.)

MOLIÈRE, *Théâtre complet*, éd. Charles Mazouer, Classiques Garnier, 2016-2021, 5 t. (*Dom Juan* se trouve dans le t. II.)

MOLIÈRE, *Le Festin de Pierre (Dom Juan). Édition critique du texte d'Amsterdam (1683)* par Joan DeJean, Genève, Droz, « Textes littéraires français », 1999.

LA VIE DE MOLIÈRE : DOCUMENTS ET BIOGRAPHIES

DONNÉ, Boris, *Molière*, Cerf, « Qui es-tu ? », 2022.

DUCHÊNE, Roger, *Molière*, Fayard, 1998.

FORESTIER, Georges, *Molière*, Gallimard, « NRF biographies », 2018.

MONGRÉDIEN, Georges (éd.), *Recueil des textes et des documents du XVIIᵉ siècle relatifs à Molière*, 2 t., CNRS, 1973.

—, *Comédies et pamphlets sur Molière*, Nizet, 1986.

L'ŒUVRE DE MOLIÈRE : ÉTUDES GÉNÉRALES

BLOCH, Olivier, *Molière / Philosophie*, Albin Michel, 2000.

BOURQUI, Claude, *Les Sources de Molière. Répertoire critique des sources littéraires et dramatiques*, SEDES, 1999.

CONESA, Gabriel, *Le Dialogue moliéresque, étude stylistique et dramaturgique* (1983), rééd. SEDES-CDU, 1992.

CORNUAILLE, Philippe, *Les Décors de Molière (1658-1674)*, Presses de l'Université Paris-Sorbonne, 2015.

DANDREY, Patrick, *Molière ou l'Esthétique du ridicule* (1992), 2ᵉ éd. revue et augmentée, Klincksieck, 2002.

DEBAILLY, Pascal, *Molière aux éclats*, L'Harmattan, 2018.

DEFAUX, Gérard, *Molière ou les Métamorphoses du comique* (1980), rééd. Klincksieck, 1992.

DE GUARDIA, Jean, *Poétique de Molière. Comédie et répétition*, Genève, Droz, 2007.

FORCE, Pierre, *Molière ou le Prix des choses. Morale, économie et comédie*, Nathan, « Le texte à l'œuvre », 1994.

FORESTIER, Georges, *Molière*, Bordas, « En toutes lettres », 1990.

GUICHARNAUD, Jacques, *Molière, une aventure théâtrale*, Gallimard, « Bibliothèque des idées », 1963.

MCKENNA, Anthony, *Molière dramaturge libertin*, Honoré Champion, 2005.

DOM JUAN : CHOIX D'OUVRAGES ET D'ARTICLES

AUDI, Paul, « La riposte de Molière », in *Créer. Introduction à l'esth/étique*, Verdier, 2010.

BLOCH, Olivier, « *Le Festin de Pierre* et les contresens : retours sur *Dom Juan* », in *Censure, autocensure et art d'écrire de l'Antiquité à nos jours*, Bruxelles, Complexe, 2005.

DANDREY, Patrick, *Dom Juan ou la critique de la raison comique* (1993), nouvelle éd. mise à jour, Honoré Champion, 2011.

DELMAS, Christian, « Sur un décor de *Dom Juan* » et « *Dom Juan* et le théâtre à machine », in *Mythologie et mythe dans le théâtre français (1650-1676)*, Genève, Droz, 1985.

DONNÉ, Boris, « Tabac de contrebande. Réflexions sur le prologue de *Don Juan* », in *« Jusqu'au sombre plaisir d'un cœur mélancolique ». Études de littérature française du XVIIᵉ siècle offertes à Patrick Dandrey*, Hermann, 2018.

DE GUARDIA, Jean, « Pour une poétique classique de *Dom Juan* », *XVIIe siècle*, n° 232, juillet 2006.

GODARD DE DONVILLE, Louise, *Le Libertin des origines à 1665*, Paris-Tubingen, PFSCL, 1989.

HORVILLE, Robert, *Dom Juan de Molière, une dramaturgie de la rupture*, Larousse, « Thèmes et textes », 1972.

RONZEAUD, Pierre (éd.), *Molière / Dom Juan*, Klincksieck, « Parcours critique », 1993.

SCHERER, Jacques, *Sur le Dom Juan de Molière*, Nizet, 1970.

SERRES, Michel, « *Dom Juan*, apparition d'Hermès », in *Hermès I. La Communication*, Minuit, 1968.

LE MYTHE DE DON JUAN

Don Juan, ouvrage collectif, Bibliothèque nationale, 1991.

BIET, Christian, *Don Juan. Mille et trois récits d'un mythe*, Gallimard, « Découvertes », 1998.

BRUNEL, Pierre (éd.), *Dictionnaire de Don Juan*, Robert Laffont, « Bouquins », 1999.

GENDARME DE BÉVOTTE, Georges (éd.), *Le Festin de Pierre avant Molière* (1907), rééd. mise à jour par Roger Guichemerre, STFM, 1988.

—, *La Légende de Don Juan, des origines au romantisme* (1906), réed. Genève, Slatkine, 2012.

MACCHIA, Giovanni, *Vie, aventures et mort de Don Juan*, trad. Claude Perrus, Desjonquères, 1990.

ROUSSET, Jean, *Le Mythe de Don Juan* (1978), rééd. Armand Colin, 2012.

LEXIQUE

On trouvera dans ce glossaire le sens de certains mots difficiles ou dont la signification s'est modifiée depuis le XVIIᵉ siècle. Le sens indiqué vaut dans le contexte précis de la scène donnée entre parenthèses : on ne pouvait proposer ici une définition exhaustive des termes retenus. Dans le texte de la pièce, ces précisions de vocabulaire sont appelées par un astérisque.

Pour élucider le sens de certains mots rares ou expressions disparues, on a recouru aux deux grands dictionnaires publiés à la fin du XVIIᵉ siècle : le *Dictionnaire universel* d'Antoine Furetière (1690), réimprimé en 1984 par Le Robert avec une préface d'Alain Rey, et le *Dictionnaire français* de Pierre Richelet (1693), réimprimé en 1995 par Christian Lacour (Nîmes).

On consultera aussi avec profit l'ouvrage d'Anne Sancier-Chateau, *Introduction à la langue du XVIIᵉ siècle*, t. 1 (*Vocabulaire*), Nathan, coll. « lettres 128 », 1993 – notamment les chapitres 1 (« Les valeurs héroïques et chevaleresques ») et 2 (« L'expression du sentiment et de la passion amoureuse »). Le t. 2 de cette excellente synthèse (*Syntaxe*) rendra également bien des services.

A

ABORD (I, III) : accueil.

D'ABORD (I, II ; IV, III) : dès l'abord, dès le début ; immédiatement, tout de suite.

D'ABORD QUE (IV, VII) : sitôt que.

ABUSER (II, II ; II, IV ; V, II) : séduire, et, plus généralement, tromper.

ACCORDÉE (II, III) : jeune femme promise à quelqu'un. Les *accordailles* précédaient les fiançailles.

ALARMER (I, II) : éveiller.

APPAS (I, II) : charmes.

ARGENT. – *Prendre pour de bon argent* (V, II) : prendre pour argent comptant, croire naïvement.

ARMES (IV, IV) : les armoiries d'une famille noble.

ASSOTÉ. – Être *assoté* de quelqu'un (II, I), c'est en être follement amoureux.

ATTAQUER. – *Attaquer les jours de quelqu'un* (III, IV) : attenter à sa vie.

AVENTURE. – *À l'aventure* (III, I) : au hasard.

B

BAILLER (II, I) : donner. Un des archaïsmes qui donnent au patois de Pierrot son pittoresque.

BARLUE (II, I) : berlue, « éblouissement de la vue par une trop grande lumière » (*Dictionnaire* de Richelet).

BEC. – *Montrer son bec jaune à quelqu'un* (II, IV), c'est lui faire voir son ignorance, sa sottise (en fauconnerie, on nomme *béjaunes* « des oiseaux niais et tout jeunes qui ne savent encore rien faire », signale le *Dictionnaire* de Furetière).

BENÊT (V, II) : sot, ridicule.

BILLEVESÉES (I, I) : sottises, paroles en l'air.

BOUTER. – Archaïsme pour le verbe « mettre », dans le patois de Pierrot et Charlotte.

BOUTER À TARRE (II, I) : mettre par terre ; *se bouter en colère* (II, III) : se mettre en colère.

BRANDI. – *Tout brandi* (II, I) : tout droit (comme une épée brandie ?) ; le sens est conjectural.

C

CAMUS. – On dit proverbialement de quelqu'un qu'on l'a *rendu camus* (II, IV), c'est-à-dire qu'on lui a aplati le nez,

pour dire « qu'il a été bien trompé, qu'il est déchu de ses prétentions, qu'il est bien honteux » (*Dictionnaire* de Furetière).

CELER. – *Se faire celer* (IV, I) : faire dire qu'on n'est pas là.

CENSURE (V, II) : blâme.

CHEVIR (IV, III) : venir à bout de quelque chose, s'en rendre maître. Le verbe *chevir* était déjà archaïque ; employé par M. Dimanche, il dénote l'appartenance de celui-ci à une classe inférieure de la société, moins sensible aux modes du beau langage.

CHOPAINE. – *Boire chopaine* (II, I), dans le patois de Pierrot, c'est boire une chopine, boire un coup.

CHOQUER : attaquer (V, II) ; être en contradiction (V, III).

CIVIL (III, V) : courtois, digne d'un honnête homme.

COMMANDEUR : chevalier d'un ordre militaire qui a été récompensé par l'attribution d'une commanderie, c'est-à-dire d'un bien ecclésiastique.

SE CONSEILLER (V, III) : demander conseil.

CONSÉQUENCE. – *De la dernière conséquence* (I, III) : de la plus haute importance.

À COUVERT (II, II) : à l'abri.

D

DÉBANDADE. – *Aller à la débandade* (II, I) : agir sans réfléchir.

DÉBITER (I, II) : parler avec facilité, réciter de façon agréable, mais aussi, sans doute, dévider un raisonnement tout prêt.

DÉGAINE. – *D'une belle dégaine* (II, I) : d'une drôle de façon.

DÉPORTEMENTS (IV, IV) : mauvaise conduite.

DESSILLER (V, I) : ouvrir (les yeux).

DISPUTER (I, II ; III, I) : débattre, discuter.

DOUBLE (III, I ; IV, II) : pièce d'un sixième de sol, c'est-à-dire menue monnaie...

DOUCEMENT (V, II) : en secret.

DOUTE. – *Sans doute* (II, II) : sans *aucun* doute.

DRAIT. – *Tout fin drait* (II, I) : tout fin droit, c'est-à-dire « tout net », dans le patois de Pierrot.

E

ÉBLOUIR (V, III) : aveugler, tromper.

ÉCLATER (V, I) : faire apparaître, mettre en évidence.

EFFETS (II, IV) : les faits, les actes.

S'EMPÊCHER (I, I) : s'abstenir.

ENGAGÉ (I, I ; I, II ; II, IV) : lié moralement par une promesse.

ÉPAULES. – *Mettre dehors par les épaules* (IV, V) : le *Dictionnaire* de Richelet explique ainsi cette expression : « *On l'a mis dehors par les épaules*, c'est-à-dire, on l'a chassé honteusement et par force.* »

ESPRIT FORT (I, II ; III, V). – Plus ou moins synonyme de « libertin » : il s'agit, selon le *Dictionnaire* de Richelet, de

quelqu'un « qui est un peu relâché sur les sentiments de la religion ».

ÉTAT. – *Faire état* (IV, IV) : attacher du prix, de l'estime.

ÉTRANGE (III, I ; III, II ; III, III ; III, IV) : extraordinaire, et fâcheux.

ÉTRANGEMENT (IV, IV) : extraordinairement, extrêmement.

EXACT (V, IV) : strict, impitoyable.

F

FANTAISIE (II, IV ; V, II) : chimère, illusion ; imagination.

FIXIBLEMENT (II, I). – Dans le patois de Pierrot, ce mot est apparemment un composé de fixement et visiblement.

FOI. – *À la bonne foi* (II, II) : en confiance.

SE FORGER (I, III) : s'imaginer.

FORTUNE (II, II) : sort.

FUSEAUX. – *Faire bruire ses fuseaux* (III, I) : fait beaucoup de bruit, fait parler de soi.

G

GALANT. – *Galant homme* (III, V) : homme de bonne compagnie, de bonnes manières.

GENTI[L] (II, I) : plaisant, aimable.

GRIMACE (III, I ; V, II) : imposture, mensonge ; « façons qu'on fait par feinte et par dissimulation », précise le *Dictionnaire* de Richelet, qui cite en exemple l'hypocrisie de Tartuffe...

H

HASARDEUX (II, I) : intrépide, audacieux.

HEURE. – *Tout à l'heure* (II, I ; IV, III) : tout de suite.

HONTEUSE (II, II) : troublée, confuse. « La pudeur est une espèce de *honte* qui est louable » (*Dictionnaire* de Furetière).

I

INJURE (I, I ; III, III ; III, IV) : affront, outrage ; l'*injure*, au sens le plus général, est un tort que l'on cause à quelqu'un.

INTELLIGENCE (I, II) : entente.

INTER NOS (I, I) : entre nous, de toi à moi. Sganarelle, en employant cette expression latine avec Gusman, veut-il impressionner son ami en jouant les doctes ?

J

JOUER. – *Se jouer au Ciel* (I, II) : se moquer du Ciel.

JUGER MAL (V, II) : porter un jugement défavorable.

JUSTIFIER (I, III) : excuser.

L

LIBERTIN (I, II) : impie, qui manque de respect envers la religion.

LIENS (I, II) : attachement amoureux (vocabulaire galant).

M

MACHINE. – Mécanisme : *la machine de l'homme* (III, I) désigne l'organisme.

MAINE. – *En avoir pour sa maine de fèves* (II, I) : expres-sion imagée signifiant « en avoir son compte » (la *mine* était une mesure de grains).

MAINS. – « On dit proverbia-lement, *Je vous baise les mains* [II, IV], pour dire, iro-niquement, je ne veux rien croire de ce que vous dites » (*Dictionnaire* de Furetière). – Un *épouseur à toutes mains* (I, I) est un homme prêt à épouser toutes les femmes qu'il rencontre : Selon le *Dictionnaire* de Richelet, « prendre à toutes mains » si-gnifie en effet « prendre de toutes les manières ».

MARCHÉ. – *Courir sur le marché des autres* (II, IV) : « obtenir ce qu'un autre pré-tendait d'avoir » (*Diction-naire* de Furetière) ; détourner à son profit une affaire qu'un autre avait engagée.

MARCIERS (II, I). – Dans le pa-tois de Pierrot, il s'agit des merciers, c'est-à-dire des col-porteurs, des vendeurs de co-lifichets.

MAROUFLE (II, III) : « Misé-rable, sot, impertinent » (*Dic-tionnaire* de Richelet).

MÉNAGE. – *Tout ce ménage* (II, III) : toute cette affaire.

MIRMIDON (I, II). – Selon le *Dictionnaire* de Furetière, désigne « un homme fort petit ou qui n'est capable d'aucune résistance ».

MORALITÉS (IV, I) : réflexions morales.

N

NÉCESSITÉ (III, II) : pauvreté.

NET (IV, VII) : vide.

O

Objet (I, ii) : objet d'amour,
c'est-à-dire personne aimée.

P

Se passer (III, v) : se contenter.
Pays. – *À vue de pays* (I, i) :
selon toute apparence.
Peine. – *Se mettre en peine*
(III, iv) : être chagriné, contrarié.
Pèlerin (I, i). – Cet emploi
ironique du terme est cité en
exemple par le *Dictionnaire*
de Richelet, qui explique qu'il
désigne ici « un jeune homme
qui aime les belles, et [...] qui
ne songe qu'à venir à bout de
ses desseins par toutes sortes
de manières libres et gaillardes ».
Plain. – *Tout à plain* (II, i) :
tout à fait, parfaitement.
Politique. – *Par politique* (V,
ii) : par ruse, adresse.
Pousser (V, ii) : attaquer, harceler.
Prétendu. – *Époux prétendu*
(I, ii) : futur époux.
Prévenir (IV, vi) : éviter.
Publier (III, iii) : faire
connaître, affirmer publiquement.
Purésie (II, iii) : pleurésie,
dans le patois de Pierrot.

Q

Qualité. – *Un homme de sa
qualité* (I, i ; I, ii ; II, ii) : de
sa noblesse. « Dom Juan Tenorio, fils de Dom Louis-
Tenorio », comme il est précisé à la scène iii de l'acte III,

appartient à une grande famille.

R

Se rebouter (II, i) : se remettre.
Réduire (I, ii) : vaincre,
dompter.
Régaler (IV, viii) : « divertir,
réjouir » (*Dictionnaire* de Richelet).
Rencontre (III, iii) : hasard,
circonstances.
Se rendre (V, ii) : céder, être
convaincu. – *Se rendre à* (V,
ii) : s'avouer vaincu par, céder
face à.
Résolution (V, iii) : décision
(ce que l'on a *résolu* de faire).
Retraite (IV, vi) : décision de
se retirer du monde pour se
consacrer à Dieu, à la prière.

S

Satisfaction (III, iii) : « sorte
d'excuse qu'on fait à une personne qu'on l'a offensée » (*Dictionnaire* de Richelet).
Sens. – *Petit sens* (III, i) : bon
sens.
Sentir. – *Ne pas se sentir* (V,
i) : l'expression, que l'on retrouve bien sûr chez La Fontaine (*Le Corbeau et le Renard*) est ainsi explicitée dans
le *Dictionnaire* de Furetière :
« Il est tellement transporté de
joie, qu'il ne se sent pas ».
Signifiance (II, i) : petit
signe, marque, témoignage
(d'amour), dans le patois de
Pierrot.
Soins (III, iii) : efforts.
Succès (II, ii). – Dans la
langue du XVIIe siècle, *succès*

a seulement le sens de « résultat », d'« issue » – positive ou négative.

SUSPENSION (III, IV) : délai.

T

TERMES. – *En être aux termes de* (III, III) : en est arrivé au point de.

TOUCHÉ (V, III) : touché par la grâce.

TRAÎNER (V, VI) : entraîner.

TRANSPORTS : émotion violente (I, II). Le *Dictionnaire* de Furetière définit le *transport* comme le « trouble ou l'agitation de l'âme par la violence des passions ». Le terme peut désigner le ressentiment, la fureur, le désir de vengeance (III, IV) ; le désir ardent d'avoir un fils (IV, IV) ; l'amour passionné (I, I et IV, VI : vocabulaire galant) ; la joie ou le ravissement (V, I).

TRÉPASSEMENT. – *Être allé au trépassement d'un chat* (II, I) : expression burlesque et populaire qui signifie « voir trouble », selon le *Dictionnaire* de Furetière. Cette expression étrange est en fait la traduction fautive d'une expression catalane inspirée d'un rite de carnaval : « aller à l'enterrement de l'ivrogne » (*del gato*), c'est-à-dire : boire un coup de trop...

TRIBUTS (I, II) : hommages (vocabulaire galant).

U

EN USER BIEN (III, V) : se conduire avec noblesse, en honnête homme.

V

VIELLEUX (II, I) : joueurs de vielle, musiciens de village (la vielle est un instrument populaire apparenté au violon).

VISAGE (IV, IV) : apparence.

Imprimé en France par Maury Imprimeur en août 2023
N° d'édition : 554549-0
Dépôt légal : août 2023
N° d'impression : 272330

Composition Nord Compo
Achevé d'imprimer par Novoprint
à Barcelone, le 27 septembre 2021
Dépôt légal : septembre 2021
1er dépôt légal dans la collection : juillet 2020

ISBN 978-2-07-291288-7. / Imprimé en Espagne

431669